#기출문장
#반복훈련

처음 만나는
수능 구문

이 책을 쓰신 분들

홍정환 박주경 이승현
최영미 김민지 Enoch Chung

교재 검토에 도움을 주신 분들

강성옥 권기용 권예나 김대수 김도훈
김미영 김봉수 김순주 김재희 김정옥
김현미 남미지 손명진 송주영 신인숙
오택경 이명언 이민정 이서진 이용훈
이혜인 임해림 전미정 조운호 한지원

Chunjae
Maketh
Chunjae

▼

기획총괄	김성희
편집개발	김보영, 최윤정, 조원재, 이시현
디자인총괄	김희정
표지디자인	윤순미, 안채리
내지디자인	디자인뮤제오, 박희춘, 임용준
제작	황성진, 조규영

발행일	2020년 12월 1일 초판 2020년 12월 1일 1쇄
발행인	(주)천재교육
주소	서울시 금천구 가산로9길 54
신고번호	제2001-000018호
고객센터	1577-0902

기출문장으로 공략하는

처음 만나는 수능 구문

Workbook

Starter

입문

Preview

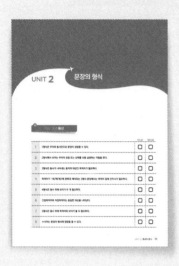

01 핵심 개념 확인

True or False 문제를 풀며 단원의 핵심 개념을 점검합니다.

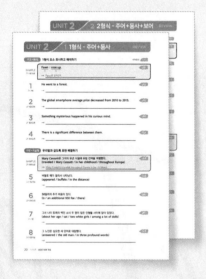

02 REVIEW

본책에서 학습한 문장을 복습하며, 내용을 제대로 이해했는지 점검합니다.

- **구조 + 해석**
  문장을 끊어 읽으며 분석하고 해석하는 연습을 합니다.

- **구문 + 서술형**
  표현을 바르게 배열하여 문장을 완성하는 기본적인 쓰기 연습을 합니다.

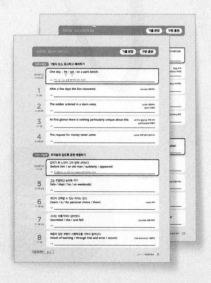

03 NEW SENTENCES

새로운 기출 문장에 학습한 내용을 적용하며, 구문 실력을 향상시킵니다.

- **구조 + 해석**
  문장을 끊어 읽으며 분석하고 해석하는 연습을 합니다.

- **구문 + 서술형**
  표현 배열 문제부터 빈칸 쓰기 및 전체 문장 쓰기 연습을 하며 내신 서술형 평가에 대비합니다.

04 UNIT REVIEW QUIZ

올바른 문장을 고르며 구문을 완벽하게 이해했는지
최종 점검합니다.

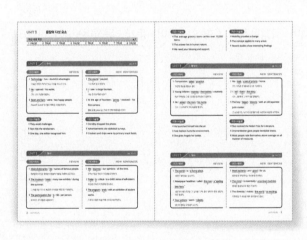

05 ANSWERS

문장의 끊어 읽기와 분석 및 해석, 문제의 정답과 해설
을 확인합니다.

이 책에 사용된 기호

S	주어(= subject)	to-v	to부정사
V	동사(= verb)	v-ing	동명사 또는 현재분사
O	목적어(= object)	p.p.	과거분사(= past participle)
IO	간접목적어(= indirect object)	/	문장 성분 및 의미 단위 끊어 읽기
DO	직접목적어(= direct object)	〈 〉	긴 (수식)어구
C	보어(= complement)	[ ]	문장 속에 포함된 종속절
M	수식어(= modifier)	[〈 〉]	종속절 속 긴 (수식)어구 또는 종속절

Contents

Unit 6 동사의 수식어 역할

Part 4

문장 속 문장,
절의 역할

Unit 7 절의 주어, 목적어, 보어 역할

Unit 8 절의 수식어 역할

Part 5

색다른
문장구조

Unit 9 색다른 단어와 구

Unit 10 색다른 문장

자기 주도 학습 관리표

★ 복습 필수!

단원 목차				공부한 날 월/일	복습한 날 월/일	나의 성취도 체크 (v) 개념 이해	문제 풀이	오답 점검	누적 복습
PART 1 문장구조의 기초	**Unit 1** 문장의 다섯 요소	1	주어	/	/				
		2	동사	/	/				
		3	목적어	/	/				
		4	보어	/	/				
		5	수식어	/	/				
	Unit 2 문장의 형식	1	1형식 – 주어+동사	/	/				
		2	2형식 – 주어+동사+보어	/	/				
		3	3형식 – 주어+동사+목적어	/	/				
		4, 5	4형식 – 주어+동사+간접목적어+직접목적어, 5형식 – 주어+동사+목적어+보어	/	/				
PART 2 문장구조의 핵심, 동사	**Unit 3** 동사의 종류	1	조동사 ①	/	/				
		2	조동사 ②	/	/				
		3	be동사	/	/				
		4	일반동사	/	/				
	Unit 4 동사의 다양한 형태	1	진행형 be v-ing	/	/				
		2	완료형 have p.p.	/	/				
		3	수동태 be p.p.	/	/				
		4	수동태의 진행형, 완료형	/	/				
		5	수동태와 함께하는 전치사	/	/				
PART 3 동사의 역할 변화, 준동사	**Unit 5** 동사의 주어, 목적어, 보어 역할	1	동사가 주어로 변신	/	/				
		2	동사가 목적어로 변신 ①	/	/				
		3	동사가 목적어로 변신 ②	/	/				
		4	동사가 주격보어로 변신	/	/				
		5	동사가 목적격보어로 변신 ①	/	/				
		6	동사가 목적격보어로 변신 ②	/	/				
	Unit 6 동사의 수식어 역할	1	동사가 수식어(형용사)로 변신 ①	/	/				
		2	동사가 수식어(형용사)로 변신 ②	/	/				
		3	동사가 수식어(부사)로 변신 ①	/	/				
		4	동사가 수식어(부사)로 변신 ②	/	/				
		5	분사구문	/	/				
PART 4 문장 속 문장, 절의 역할	**Unit 7** 절의 주어, 목적어, 보어 역할	1	절의 주어 역할	/	/				
		2	절의 목적어 역할 ①	/	/				
		3	절의 목적어 역할 ②$^{-1}$	/	/				
		3, 4	절의 목적어 역할 ②$^{-2}$, 절의 보어 역할	/	/				
	Unit 8 절의 수식어 역할	1	절의 수식어(형용사) 역할 ①	/	/				
		2	절의 수식어(형용사) 역할 ②	/	/				
		3	절의 수식어(형용사) 역할 ③	/	/				
		4	콤마 뒤 관계사절	/	/				
		5	절의 수식어(부사) 역할 ①	/	/				
		6	절의 수식어(부사) 역할 ②	/	/				
		7	절의 수식어(부사) 역할 ③	/	/				
PART 5 색다른 문장구조	**Unit 9** 색다른 단어와 구	1	[단어] 그것이 아닌 it ①	/	/				
		2	[단어] 그것이 아닌 it ②	/	/				
		3	[구] 비교구문 – 원급	/	/				
		4	[구] 비교구문 – 비교급	/	/				
		5	[구] 비교구문 – 최상급	/	/				
	Unit 10 색다른 문장	1, 2	[절] 가정법 – 과거, [절] 가정법 – 과거완료	/	/				
		3	[절] 가정법 – I wish, as if	/	/				

UNIT 1

문장의 다섯 요소

핵심 개념 확인

		TRUE	FALSE
1	주어는 동작이나 상태의 주체가 되는 말로 항상 문장 맨 앞에 온다.	☐	☐
2	동사는 주어의 동작이나 상태를 나타내는 말이다.	☐	☐
3	동사는 주어의 인칭과 수에 따라 형태가 달라진다.	☐	☐
4	목적어는 동작의 대상을 나타내는 말로 동사 뒤에 하나만 올 수 있다.	☐	☐
5	주어와 목적어가 같을 때, 목적어 자리에 재귀대명사를 사용한다.	☐	☐
6	보어는 주어나 목적어를 보충 설명하는 말이다.	☐	☐
7	형용사 수식어는 주어, 목적어, 보어로 쓰인 명사를 수식한다.	☐	☐
8	부사 수식어는 다른 수식어를 수식할 수 없다.	☐	☐

구조+해석 주어(S) 표시하고 해석하기

본책 문장 LINK

SAMPLE
고1 6월

Amy / nodded and stared.
S

003

→ Amy는 고개를 끄덕이며 쳐다보았다.

1
고1 3월

Technology has doubtful advantages.

005

→ _____

2
고1 6월

He opened his wallet.

001

→ _____

3
고1 6월

Fawn and Sam were two happy people.

006

→ _____

구문+서술형 우리말과 같도록 표현 배열하기

SAMPLE
고1 6월 응용

안도의 숨을 내쉬며, 나는 나의 지갑을 받았다.
(my wallet / I / with a sigh of relief, / took)

007

→ With a sigh of relief, I took my wallet.

4
고1 9월

그들은 도전을 피한다.
(challenges / avoid / they)

002

→ _____

5
고1 9월 응용

비가 앞 유리에 부딪힌다.
(hits / the windscreen / rain)

004

→ _____

6
고1 6월 응용

어느 날, 한 편집자가 그를 알아봤다.
(one day, / him / recognized / one editor)

008

→ _____

구조+해석 주어(S) 표시하고 해석하기

SAMPLE
고1 3월 응용

She / burned / her hands.
S

burn 데다

→ 그녀는 손을 데었다.

1
고1 9월

The sound paused.

pause 잠시 멈추다

→ _____

2
고1 6월 응용

I saw a large fountain.

fountain 분수대

→ _____

3
고1 6월 응용

At the age of fourteen James received his first camera.

receive 받다

→ _____

구문+서술형 우리말과 같도록 표현 배열하기

SAMPLE
고1 3월

그들은 함께 마지막 30미터를 걸었다.
(the last 30 meters / together, / walked / they)

→ Together, they walked the last 30 meters.

4
고1 3월 응용

Dorothy는 전화기를 떨어뜨렸다.
(dropped / Dorothy / the phone)

→ _____

5
고1 6월 응용

광고는 통계 조사를 인용한다.
(cite / statistical surveys / advertisements)

statistical survey 통계 조사

→ _____

6
고1 6월 응용

크래커와 칩들이 나의 주된 간식이었다.
(were / my primary snack foods / crackers and chips)

primary 주된

→ _____

구조+해석 주어(S), 동사(V) 표시하고 해석하기 본책 문장 LINK

SAMPLE
고1 6월

Humans / **are** / champion long-distance runners. ◀ 011
　　　S　　　 V
→ 인간들은 최고의 장거리 달리기 선수들이다.

1
고1 3월

Most dictionaries list names of famous people. ◀ 013
→ _____

2
고1 6월 응용

The museum hosts many new exhibits during the summer. ◀ 015
→ _____

3
고1 9월 응용

The participation fee is $8 per person. ◀ 009
→ _____

구문+서술형 우리말과 같도록 표현 배열하기

SAMPLE
고1 9월 응용

나는 너를 매우 자랑스러워 한다. ◀ 010
(you / so proud of / I'm)
→ I'm so proud of you.

4
고1 3월 응용

보통의 식료품점은 만 개가 넘는 품목을 취급한다. ◀ 016
(carries / the average grocery store / over 10,000 items)
→ _____

5
고1 9월

해답은 인간의 본성에 있다. ◀ 014
(in human nature / the answer / lies)
→ _____

6
고1 6월 응용

우리는 당신의 승인과 협조를 필요로 한다. ◀ 012
(we / your blessing and support / need)
→ _____

구조+해석 주어(S), 동사(V) 표시하고 해석하기

SAMPLE
고1 3월

In most people, / emotions / are / situational.
　　　　　　　　　　　S　　　　V

situational 상황적인

→ 대부분의 사람에게 있어 감정은 상황적이다.

1
고1 6월 응용

We express our opinions all the time.

opinion 의견

→ _____

2
고1 6월 응용

Praise is critical to a child's sense of self-esteem.

praise 칭찬　critical 중요한
self-esteem 자존감

→ _____

3
고1 6월

The program ends with an exhibition of student works.

exhibition 전시
work 작품

→ _____

구문+서술형 표현 활용하여 영작하기

SAMPLE
고1 3월 응용

수력 발전은 재생 가능한 에너지원이다.
(hydroelectric power, be)

hydroelectric power 수력 발전

→ Hydroelectric power is _____ a renewable power source.

4
고1 9월

기동성은 저널리스트들의 환경에 대한 변화를 제공한다.
(mobility, provide, a change)

mobility 기동성

→ _____ to the environment for journalists.

5
고1 6월 응용

그 개념은 우리 삶의 많은 방면에 적용된다.
(concept, apply, to many areas)

apply 적용되다

→ _____ of our lives.

6
고1 3월 응용

최근 연구들은 습관 형성에 관한 흥미로운 결과를 보여준다.
(recent study, show, interesting findings)

→ _____ about habit formation.

구조+해석   동사(V)와 목적어(O, IO, DO) 표시하고 해석하기   본책 문장 LINK

SAMPLE
고1 9월 응용

I / offered / him / some money.
    V   IO   DO

022

→ 나는 그에게 약간의 돈을 제공했다.

1
고1 6월 응용

Compassion takes practice.

018

→ _____

2
고1 6월 응용

Young children express themselves creatively.

023

→ _____

3
고1 6월 응용

He asked the man his name.

021

→ _____

구문+서술형   우리말과 같도록 표현 배열하기

SAMPLE
고1 6월

그녀는 36권의 책을 집필하였다.
(thirty six books / wrote / she)

019

→ She wrote thirty six books.

4
고1 9월 응용

그는 그 자신을 공중으로 내던졌다.
(himself / launched / he / into the air)

024

→ _____

5
고1 9월 응용

패스트 패션은 환경을 훼손한다.
(hurts / the environment / fast fashion)

017

→ _____

6
고1 3월 응용

그녀는 Angela에게 그녀의 젖병을 준다.
(she / her bottle / gives / Angela)

020

→ _____

구조+해석　동사(V)와 목적어(O, IO, DO) 표시하고 해석하기

SAMPLE
고1 3월 응용

She / peeled / two potatoes.
　　　　V　　　　O

peel 깎다

→ 그녀는 감자 두 개를 깎았다.

1
고1 6월 응용

He took a set of prisms home.

home 집으로

→ _____

2
고1 3월 응용

I tell them the story.

→ _____

3
고1 9월

The boy began lessons with an old Japanese judo master.

judo 유도

→ _____

구문+서술형　우리말과 같도록 표현 배열하기

SAMPLE
고1 6월

나는 구석에 자리를 잡았다.
(a spot / picked / I / in a corner)

→ I picked a spot in a corner.

4
고1 6월 응용

그녀는 노벨 문학상을 수상하였다.
(received / she / the Nobel Prize for Literature)

→ _____

5
고1 3월 응용

Dromerdeener는 사람들에게 구부러지는 무릎을 만들어 주었다.
(gave / people / Dromerdeener / bendable knees)

bendable 구부러지는

→ _____

6
고1 9월 응용

대부분의 사람들은 자신들을 모든 척도들에서 평균 이상이라고 평가한다.
(above average / themselves / most people / on all manner of measures / rate)

average 평균

→ _____

ANSWERS ↓ p.3

구조+해석 주어(S)와 주격보어(C), 목적어(O)와 목적격보어(C) 표시하고 해석하기   본책 문장 LINK

SAMPLE
고1 9월 응용

> Some people / found / the explanations / inadequate.   032
>   O   C
> → 몇몇 사람들은 그 설명이 충분하지 않다는 것을 알게 되었다.

1
고1 9월 응용

The world is a funny place.   025

→ _____

2
고1 6월 응용

Newspaper headlines called the man a "spelling bee hero."   031

→ _____

3
고1 6월 응용

Your actions seem robotic.   030

→ _____

구문+서술형 우리말과 같도록 표현 배열하기

SAMPLE
고1 9월 응용

> 1958년에 그는 Philadelphia Evening Bulletin의 직원이 되었다.   027
> (in 1958, / became / he / at the *Philadelphia Evening Bulletin* / staff)
> → In 1958, he became staff at the *Philadelphia Evening Bulletin*.

4
고1 3월

그 부자는 그들에게 매우 불친절하고 잔인했다.   029
(to them / was / very unkind and cruel / the rich man)

→ _____

5
고1 3월 응용

물은 모든 생물에게 필수적이다.   028
(water / to all life / essential / is)

→ _____

6
고1 6월 응용

당신은 천사이다!   026
(an angel / you / are)

→ _____

구조+해석 주어(S)와 주격보어(C), 목적어(O)와 목적격보어(C) 표시하고 해석하기

SAMPLE
고1 9월 응용

Science / is / unique.
　S　　　　　 C

→ 과학은 독특하다.

1
고1 9월

Most bacteria are good for us.

bacterium 박테리아, 세균 (*pl.* bacteria)

→ _____

2
고1 6월

The mind is essentially a survival machine.

essentially 본질적으로
survival 생존

→ _____

3
고1 9월 응용

The diversity makes the world so exciting.

→ _____

구문+서술형 우리말과 같도록 표현 배열하기

SAMPLE
고1 6월 응용

의견은 어떤 사람 혹은 사물에 대한 믿음이나 태도이다.
(about someone or something / is / a belief or attitude / an opinion)

attitude 태도

→ An opinion is a belief or attitude about someone or something.

4
고1 3월 응용

그 땅은 이동을 매우 어렵게 만들었다.
(travel / made / the land / so difficult)

travel 이동

→ _____

5
고1 6월 응용

또 다른 장애물은 다른 행성들의 혹독한 기상 조건이다.
(is / on other planets / the harsh conditions / another obstacle)

obstacle 장애물

→ _____

6
고1 3월 응용

그들은 온라인 고객 평점을 중요하게 고려했다.
(they / important / online customer ratings / considered)

consider 고려하다

→ _____

구조+해석 수식어(M)와 수식 대상 표시하고 해석하기　　　본책 문장 LINK

SAMPLE
고1 3월

Research 〈with older children〉 suggests / similar findings. 040
　　S　　　M(전치사구)　　　　　　　　　　M(형용사)　　O

→ 나이가 더 많은 아이들을 대상으로 한 연구는 비슷한 결과를 시사한다.

1
고1 9월

Water is the ultimate commons. 036

→ _____

2
고1 9월 응용

She lay quite still. 044

→ _____

3
고1 3월 응용

The normal robot shows deterministic behaviors. 034

→ _____

4
고1 3월 응용

Leonardo Da Vinci made his sketches individually. 042

→ _____

구문+서술형 우리말과 같도록 표현 배열하기

SAMPLE
고1 3월 응용

갑자기 나는 겨드랑이 밑으로 쿡 찌르는 것을 느꼈다. 047
(felt / suddenly / a prodding / I / under the armpit)

→ Suddenly I felt a prodding under the armpit.

5
고1 9월 응용

그는 사진에 대한 그의 열정을 키웠다. 039
(his passion / he / for photography / developed)

→ _____

6
고1 6월

음악은 어린 아이들에게 강력하게 호소한다. 046
(appeals powerfully / music / to young children)

→ _____

7
고1 9월 응용

위대한 예술가들은 셀 수 없이 많은 시간을 그들의 스튜디오에서 보낸다. 033
(countless hours / spend / great artists / in their studios)

→ _____

8
고1 6월

놀랄 것도 없이, 당신은 경기장에 걸어가서 공을 떨어뜨린다. 048
(walk on the court / you / not surprisingly, / and drop the ball)

→ _____

구조+해석　수식어(M)와 수식 대상 표시하고 해석하기

SAMPLE
고1 3월

A very unpleasant smell / came / into my nostrils.　　　unpleasant 불쾌한
M(부사)　M(형용사)　S　V　M(전치사구)

→ 매우 불쾌한 냄새가 나의 콧구멍으로 들어왔다.

1
고1 6월 응용

Europe's constant disunity has a long history.　　　constant 지속적인
　　　disunity 분열

→

2
고1 6월 응용

Suddenly the woman's face changed.

→

3
고1 9월 응용

She painted portraits of the children.　　　portrait 초상화

→

4
고1 3월

Sometimes the attraction is specific goods.　　　attraction 사람의 관심을 끄는 것
　　　specific 특정한　goods 상품

→

구문+서술형　우리말과 같도록 표현 배열하기

SAMPLE
고1 3월

까마귀는 놀랄 만큼 영리한 조류이다.
(are / family of birds / a / remarkably / crows / clever)　　　remarkably 놀랄 만큼

→ Crows are a remarkably clever family of birds.

5
고1 9월 응용

그 Pygmy 부족원은 물소 떼를 신기한 듯이 바라보았다.
(curiously / buffalo / watched / the Pygmy)　　　buffalo 물소(pl. buffalo)

→

6
고1 9월 응용

당신의 말은 사람들의 가슴에 흉터를 남긴다.
(leave / in people's hearts / your words / scars)　　　scar 흉터

→

7
고1 3월

그 노예와 사자는 아주 친한 친구가 되었다.
(very / became / the slave and the lion / friends / close)

→

8
고1 6월 응용

그는 마드리드에서 평화롭게 여생을 보냈다.
(of his life / the rest / he / peacefully in Madrid / spent)

→

ANSWERS　p.4

옳은 문장에 ✓

1
고1 9월 응용

a Everything is unfamiliar.
b Everything are unfamiliar.

unfamiliar 낯선

2
고1 3월 응용

a She was busily with a school project.
b She was busy with a school project.

3
고1 3월 응용

a Similarly, Marie Curie's husband stopped his original research.
b Similar, Marie Curie's husband stopped his original research.

4
고1 6월 응용

a Some wild mushrooms is dangerous.
b Some wild mushrooms are dangerous.

wild mushroom 야생 버섯

5
고1 9월 응용

a The boy easy won his first two matches.
b The boy easily won his first two matches.

match 경기

6
고1 6월 응용

a This gives you a chance.
b This gives a chance you.

7
고1 9월 응용

a These are innate habits and not simple addictions.
b These are innately habits and not simple addictions.

innate 타고난
addiction 중독

8
고1 3월 응용

a Many students interrupts their studying with Internet surfing.
b Many students interrupt their studying with Internet surfing.

interrupt 방해하다

UNIT 2

문장의 형식

		TRUE	FALSE
1	1형식은 주어와 동사만으로 문장이 성립할 수 있다.	☐	☐
2	2형식에서 보어는 주어의 성질 또는 상태를 보충 설명하는 역할을 한다.	☐	☐
3	3형식은 동사가 나타내는 동작의 대상인 목적어가 필요하다.	☐	☐
4	목적어가 '~와/에(게)/에 관해'로 해석되는 3형식 문장에서는 목적어 앞에 전치사가 필요하다.	☐	☐
5	4형식은 동사 뒤에 보어가 두 개 필요하다.	☐	☐
6	간접목적어와 직접목적어는 동일한 대상을 나타낸다.	☐	☐
7	5형식은 동사 뒤에 목적어와 보어가 둘 다 필요하다.	☐	☐
8	수식어는 문장의 형식에 영향을 줄 수 있다.	☐	☐

구조+해석   1형식 요소 표시하고 해석하기   본책 문장 LINK

| SAMPLE 고1 6월 응용 | <u>Fawn</u> / <u>rose up</u>.
   S   V

→ Fawn은 일어섰다. | 051 |

1 고1 3월
He went to a forest.   053
→ _____

2 고1 6월 응용
The global smartphone average price decreased from 2010 to 2015.   059
→ _____

3 고1 6월 응용
Something mysterious happened in his curious mind.   058
→ _____

4 고1 6월 응용
There is a significant difference between them.   061
→ _____

구문+서술형   우리말과 같도록 표현 배열하기

| SAMPLE 고1 9월 응용 | Mary Cassatt은 그녀의 유년 시절에 유럽 전역을 여행했다.
(traveled / Mary Cassatt / in her childhood / throughout Europe)

→ Mary Cassatt traveled throughout Europe in her childhood. | 056 |

5 고1 9월 응용
버팔로 떼가 멀리서 나타났다.
(appeared / buffalo / in the distance)   054
→ _____

6 고1 9월 응용
50달러의 추가 비용이 있다.
(is / an additional $50 fee / there)   060
→ _____

7 고1 3월
그녀 나이 또래의 백인 소녀 두 명이 많은 인형들 사이에 앉아 있었다.
(about her age / sat / two white girls / among a lot of dolls)   057
→ _____

8 고1 6월 응용
그 노인은 심오한 세 단어로 대답했다.
(answered / the old man / in three profound words)   055
→ _____

구조+해석 1형식 요소 표시하고 해석하기

SAMPLE
고1 6월 응용

One day, / he / sat / on a park bench.
$\quad\quad\quad$ S $\quad$ V

→ 어느 날, 그는 공원 벤치에 앉아 있었다.

1
고1 3월

After a few days the lion recovered.

recover 회복하다

→ _____

2
고1 9월 응용

The soldier ordered in a stern voice.

order 명령하다
stern 단호한

→ _____

3
고1 9월

At first glance there is nothing particularly unique about this.

at first glance 언뜻 보아
particularly 특별히

→ _____

4
고1 6월 응용

The request for money never came.

come (어떤 일이) 일어나다

→ _____

구문+서술형 우리말과 같도록 표현 배열하기

SAMPLE
고1 6월

갑자기 한 노인이 그의 앞에 나타났다.
(before him / an old man / suddenly / appeared)

→ Suddenly an old man appeared before him.

5
고1 9월 응용

그는 주말마다 늦잠을 잤다.
(late / slept / he / on weekends)

→ _____

6
고1 6월 응용

개인이 선택할 수 있는 여지는 있다.
(room / is / for personal choice / there)

room 여지

→ _____

7
고1 6월 응용

그녀는 비틀거리다 넘어졌다.
(stumbled / she / and fell)

stumble 비틀거리다

→ _____

8
고1 3월

배움의 많은 부분이 시행착오를 거쳐서 일어난다.
(much of learning / through trial and error / occurs)

trial and error 시행착오

→ _____

구조+해석 2형식 요소 표시하고 해석하기

본책 문장 LINK

SAMPLE
고1 9월 응용

Exercise / is / great ⟨for prevention⟩.
　　S　　　V　　　C

→ 운동은 예방에 좋다.

073

1
고1 6월 응용

Emoticons were a definite advantage in non-verbal communication.

→ _____

068

2
고1 6월

I felt alone and homesick.

→ _____

077

3
고1 3월 응용

In 1930, she became the first female flight attendant in the U.S.

→ _____

070

4
고1 9월 응용

Once, watercourses seemed boundless.

→ _____

075

구문+서술형 우리말과 같도록 표현 배열하기

SAMPLE
고1 9월

그는 챔피언이었다.
(the champion / he / was)

→ He was the champion.

066

5
고1 6월

Nauru는 남서 태평양에 있는 섬나라이다.
(an island country / is / Nauru / in the southwestern Pacific Ocean)

→ _____

064

6
고1 6월 응용

나이테는 온화하고 습한 해에 폭이 더 넓어진다.
(grow / tree rings / in warm, wet years / wider)

→ _____

071

7
고1 3월 응용

식물과 동물은 신화의 중심에 있다.
(central / plants and animals / to mythology / are)

→ _____

074

8
고1 6월 응용

그것은 어색하고 상황에 맞지 않는 것 같다.
(awkward / it / appears / and out of place)

→ _____

076

구조+해석 2형식 요소 표시하고 해석하기

SAMPLE
고1 3월

Most chuckwallas / are / mainly brown or black.
S   V   C

chuckwalla 척왈라 (도마뱀의 일종)

→ 대부분의 chuckwalla는 주로 갈색이거나 검은색이다.

1
고1 9월

This is the leap to greatness.

leap 도약
greatness 위대함

→ _____

2
고1 3월 응용

Dorothy felt dizzy.

dizzy 어지러운

→ _____

3
고1 9월 응용

Dinosaurs are a popular topic for kids.

→ _____

4
고1 3월 응용

They became famous for their discoveries.

discovery 발견

→ _____

구문+서술형 우리말과 같도록 표현 배열하기

SAMPLE
고1 9월

내 아내와 나는 Lakeview Senior Apartment Complex의 주민입니다.
(residents / are / my wife and I / of the Lakeview Senior Apartment Complex)

→ My wife and I are residents of the Lakeview Senior Apartment Complex.

5
고1 3월 응용

촉감은 많은 제품의 중요한 측면이다.
(is / an important aspect / touch / of many products)

→ _____

6
고1 6월 응용

그들의 방문은 분명히 도움이 된다.
(their visits / obviously beneficial / are)

beneficial 도움이 되는

→ _____

7
고1 9월 응용

보상은 꽤 긍정적으로 들린다.
(so / rewards / positive / sound)

→ _____

8
고1 9월 응용

이 훈련은 효과가 없으며 많은 경영자들은 형편없는 코치인 채로 남아 있다.
(ineffective, / and many managers / is / remain / this training / poor coaches)

→ _____

ANSWERS p.5

구조+해석 3형식 요소 표시하고 해석하기

본책 문장 LINK

SAMPLE
고1 3월 응용

In Britain / many people / dislike / rodents.
　　　　　　　　　S　　　　　　　V　　　　O

079

→ 영국에서는 많은 사람들이 설치류를 싫어한다.

1
고1 3월 응용

She picked up the pot's lid.

084

→ _____

2
고1 6월 응용

We have an online shop for books.

080

→ _____

3
고1 6월 응용

The man from the car behind approached us.

089

→ _____

4
고1 3월 응용

Under competitive conditions, the boys drew sharp group boundaries.

082

→ _____

구문+서술형 우리말과 같도록 표현 배열하기

SAMPLE
고1 9월 응용

제자들은 그들의 스승을 보았다.
(the students / their teacher / looked at)

085

→ The students looked at their teacher.

5
고1 6월

그는 1916년에 자신의 스튜디오를 열었다.
(his own studio / he / in 1916 / opened)

078

→ _____

6
고1 3월 응용

그는 두 통의 훈훈한 편지를 그 소년들에게 보냈다.
(two warm letters / he / to the boys / sent off)

083

→ _____

7
고1 6월

인도의 스마트폰 평균 가격은 2011년에 최고점에 도달했다.
(its peak / reached / the smartphone average price in India / in 2011)

088

→ _____

8
고1 9월 응용

우리는 우리의 삶 속에서 균형과 조화를 찾는다.
(balance and harmony / look for / we / in our lives)

086

→ _____

구조+해석   **3형식 요소 표시하고 해석하기**

SAMPLE
고1 6월

In 1824, / Peru / won / its freedom / from Spain.
               S   V   O

→ 1824년, 페루는 스페인으로부터 자유를 얻었다.

1
고1 6월 응용

He took hundreds of photographs of his family and town.   take (사진을) 찍다

→ _____

2
고1 6월 응용

They observed me threateningly.   observe 지켜보다
                                            threateningly 위협적으로

→ _____

3
고1 9월 응용

As the director, I appreciate your help and support.   appreciate 감사하다

→ _____

4
고1 3월

Geography influenced human relationships in Greece.   geography 지형
                                            influence ~에 영향을 미치다

→ _____

구문+서술형   **우리말과 같도록 표현 배열하기**

SAMPLE
고1 9월 응용

Annemarie는 모퉁이에 도착했다.
(reached / Annemarie / the corner)

→ Annemarie reached the corner.

5
고1 3월 응용

때때로 이런 아주 오래된 우정들은 성장통을 겪는다.   go through ~을 겪다   growing pain 성장통
(growing pains / sometimes / these forever-friendships / go through)

→ _____

6
고1 9월 응용

과학기술의 발전은 흔히 변화를 강요한다.
(often forces / change / technological development)

→ _____

7
고1 6월 응용

뇌는 몸무게의 2 퍼센트만을 이룬다.
(the brain / just two percent / makes up / of our body weight)   make up ~을 이루다

→ _____

8
고1 3월

Shirley는 Brooklyn 대학에 다녔고 사회학을 전공했다.
(Brooklyn College / and majored in / attended / Shirley / sociology)

→ _____

구조+해석 **4형식, 5형식 요소 표시하고 해석하기**   본책 문장 LINK

SAMPLE
고1 9월응용

He / gave / his son / a hammer and a bag of nails.   093
S   V   IO   DO

→ 그는 그의 아들에게 망치 하나와 못들이 든 가방 하나를 주었다.

1   He handed me his cell phone.   091
고1 9월

→ _____

2   Soon, each group considered the other an enemy.   098
고1 3월

→ _____

3   Two and a half years later, he asked them the same question.   096
고1 9월

→ _____

4   None of her books leaves the reader unconcerned.   099
고1 6월

→ _____

구문+서술형 **우리말과 같도록 표현 배열하기**

SAMPLE
고1 6월응용

줄무늬는 얼룩말들을 시원하게 유지시켜 주지 않는다.   100
(zebras / don't keep / stripes / cool)

→ Stripes don't keep zebras cool.

5   내 친구들은 나를 Mina라고 부른다.   097
고1 6월   (me / call / my friends / Mina)

→ _____

6   1969년에, 그 전시회는 그에게 국제적인 인정을 받게 하였다.   095
고1 6월응용   (him / the exhibition / in 1969, / brought / international recognition)

→ _____

7   나무는 그 지역 기후에 대한 약간의 정보를 과학자들에게 제공해 준다.   094
고1 6월응용   (scientists / trees / about that area's local climate / some information / give)

→ _____

구조+해석 4형식, 5형식 요소 표시하고 해석하기

SAMPLE
고1 3월 응용

He / made / him / his friend.
S   V   O   C

→ 그는 그를 자신의 친구로 삼았다.

1
고1 9월 응용

This novel won Wharton the 1921 Pulitzer Prize.

win (상을) 안겨주다
Pulitzer Prize 퓰리처상

→ _____

2
고1 6월 응용

Your mind makes your last thoughts part of reality.

→ _____

3
고1 9월 응용

In an experiment, researchers handed participants that photo.

experiment 실험

→ _____

4
고1 3월 응용

A spirit of community makes all participants happier.

→ _____

구문+서술형 우리말과 같도록 표현 배열하기

SAMPLE
고1 9월 응용

몇몇 소설은 그녀에게 폭넓은 독자층을 가져다주었다.
(a wide audience / some novels / her / gained)

→ Some novels gained her a wide audience.

5
고1 6월 응용

Joshua tree의 독특한 모양은 그것을 매력적인 장식으로 만든다.
(a desirable decoration / of the Joshua tree / it / makes / the unique appearance)

→ _____

6
고1 6월 응용

그들은 그에게 백만 페소를 선물로 주었다.
(offered / they / a gift of one million pesos / him)

→ _____

7
고1 9월 응용

Saigon Execution 사진은 그에게 1969년 퓰리처상을 가져다주었다.
(earned / the Saigon Execution photo / the Pulitzer Prize in 1969 / him)

→ _____

옳은 문장에 ✓

1
고1 3월

a Fortunately, now there is food labels.

b Fortunately, now there are food labels.

2
고1 3월 응용

a Leave the door open.

b Leave the door openly.

3
고1 6월 응용

a The brain is marvelously efficient.

b The brain is marvelously efficiently.

marvelously 놀라울 만큼

4
고1 9월 응용

a Timothy Wilson gave to students a choice of five different art posters.

b Timothy Wilson gave students a choice of five different art posters.

choice 선택권

5
고1 3월

a Many missteps eventually lead a problem.

b Many missteps eventually lead to a problem.

misstep 실수

6
고1 6월 응용

a He reached my window.

b He reached to my window.

7
고1 6월 응용

a You give a treat your puppy.

b You give your puppy a treat.

treat 간식

8
고1 3월 응용

a The male chuckwallas' body color becomes lighter.

b The male chuckwallas' body color becomes lightly.

UNIT 3

동사의 종류

핵심 개념 확인

		TRUE	FALSE
1	조동사는 동사의 의미를 보충해 주는 역할을 한다.	☐	☐
2	조동사 뒤에는 동사원형을 써야 한다.	☐	☐
3	능력 · 가능을 나타낼 때, can은 be able to로 바꿔 쓸 수 있다.	☐	☐
4	must와 have to의 부정형은 강한 금지를 뜻한다.	☐	☐
5	be동사는 주어의 인칭과 수에 영향을 받지 않는다.	☐	☐
6	be동사의 미래형은 주어와 상관없이 will be를 쓴다.	☐	☐
7	주어가 복수일 때, 일반동사의 현재형은 「동사원형+(e)s」로 나타낸다.	☐	☐
8	일반동사의 과거형은 주어의 인칭과 수에 영향을 받는다.	☐	☐

구조+해석 조동사와 동사 표시하고 해석하기　본책 문장 LINK

SAMPLE
고1 6월

Currently, / we / cannot send / humans / to other planets.　104
조동사(부정)+동사원형

→ 현재, 우리는 인간을 다른 행성으로 보낼 수 없다.

1
고1 3월 응용

That trip can take thousands of years.　101

→ _____

2
고1 3월

Shaun could not find the words.　107

→ _____

3
고1 9월 응용

It might spoil in the hot weather.　110

→ _____

4
고1 3월

As an added bonus, you might learn something!　109

→ _____

구문+서술형 우리말과 같도록 표현 배열하기

SAMPLE
고1 6월 응용

이것은 체내에 화학 물질의 분비를 야기할지도 모른다.　111
(a release of chemicals / may cause / this / in the body)

→ This may cause a release of chemicals in the body.

5
고1 6월 응용

아기들은 심지어 혼자 앉아 있을 수조차 없다.　105
(even sit up / babies / on their own / can't)

→ _____

6
고1 6월 응용

사실, 친숙함은 종종 선다형 시험에서 오류를 초래할 수 있다. (in fact, / can / errors /　102
often lead to / familiarity / on multiple-choice exams)

→ _____

7
고1 3월 응용

아무도 그것을 읽지 못했다.　106
(one / no / it / could read)

→ _____

8
고1 9월 응용

패스트 패션 상품은 계산대에서 당신에게 많은 비용을 들게 하지 않을지도 모른다.　113
(at the cash register / fast fashion items / you / may not cost / much)

→ _____

구조+해석 조동사와 동사 표시하고 해석하기

SAMPLE
고1 6월 응용

You / can buy / the ball and the racket.
조동사+동사원형

→ 당신은 공과 라켓을 살 수 있다.

1
고1 3월

Different cultures can exhibit opposite attitudes toward a given species.

exhibit 보여주다 given 주어진 species 종(種)

→ _____

2
고1 9월 응용

Regular exercise may be the immunity-booster.   immunity-booster 면역력 촉진제

→ _____

3
고1 6월 응용

I could imagine a horrible scenario.   horrible 끔찍한

→ _____

4
고1 3월 응용

Something might be wrong.

→ _____

구문+서술형 표현 활용하여 영작하기

SAMPLE
고1 9월 응용

사회적 거짓말들은 상호 관계에 도움이 될지도 모른다.
(social, may, benefit, mutual relations)   mutual relation 상호 관계

→ Social lies may benefit mutual relations.

5
고1 9월 응용

그 학생들은 계곡을 볼 수 있었다.
(can, see, a ravine)   ravine 계곡

→ _____

6
고1 9월 응용

큰 규모의 경제적 문제들은 개인의 능력에 영향을 미칠지도 모른다.
(larger-scale, economic, may, affect, the person's ability)   economic 경제적인

→ _____

7
고1 6월 응용

나는 지금은 이것을 처리할 수 없다.
(can, deal with, now)   deal with (문제·과제 등을) 처리하다

→ _____

8
고1 6월 응용

그는 어떠한 은행에서도 더 많은 돈을 빌릴 수 없었다.
(can, borrow, from any bank)   borrow 빌리다

→ _____

ANSWERS ↓ p.8

구조+해석 조동사와 동사 표시하고 해석하기

본책 문장 LINK

SAMPLE
고1 6월 응용

You / have to train / yourself.
　　　조동사+동사원형

117

→ 당신은 스스로 연습해야만 한다.

1
고1 3월 응용

Participants should prepare their dishes beforehand.

121

→ _____

2
고1 3월 응용

Friends don't have to be exactly alike.

118

→ _____

3
고1 6월 응용

Students must sign up for our program in advance through our website.

115

→ _____

4
고1 9월 응용

You should never make such assumptions right away.

125

→ _____

구문+서술형 우리말과 같도록 표현 배열하기

SAMPLE
고1 3월 응용

Isaac Newton 경은 새로운 수학 분야를 만들어 내야 했다.
(invent / had to / Sir Isaac Newton / a new branch of mathematics)

120

→ Sir Isaac Newton had to invent a new branch of mathematics.

5
고1 6월 응용

우리는 아이들의 언어 놀이를 적극적으로 장려해야 한다.
(we / strongly encourage / should / children's language play)

122

→ _____

6
고1 6월 응용

도서관은 공부와 독서를 위해 조용함을 제공해야 한다.
(must / libraries / provide / for study and reading / quietness)

114

→ _____

7
고1 3월 응용

의류가 비쌀 필요는 없다.
(be / clothing / expensive / doesn't have to)

119

→ _____

8
고1 6월 응용

투자가로서, 우리는 단기 손실에 집중해서는 안 된다.
(focus on / we / short-term losses / as investors, / should not)

124

→ _____

구조+해석 조동사와 동사 표시하고 해석하기

SAMPLE
고1 9월

Participants / should be / ten years of age or older.
조동사+동사원형

→ 참가자는 10세 혹은 그 이상이어야 한다.

1
고1 6월 응용

As consumers, we have to use our own judgment.

consumer 소비자
judgment 판단

→ _____

2
고1 3월

All applicants should sing two songs.

applicant 지원자

→ _____

3
고1 3월 응용

The concern must be genuine.

genuine 진심인

→ _____

4
고1 3월 응용

All new employees must gain experience in all departments.

department 부서

→ _____

구문+서술형 표현 활용하여 영작하기

SAMPLE
고1 9월

참가자들은 반드시 Wisconsin 주에 거주해야 한다.
(contestant, live in, the state of Wisconsin)

contestant 참가자

→ Contestants must live in the state of Wisconsin.

5
고1 6월 응용

당신은 그 시험에서 답을 생각해내야 한다.
(have to, come up with, answer, exam)

→ _____

6
고1 3월 응용

St. Roma 학생으로서, 나는 학교 표시가 있는 녹색 스웨터를 착용해야 했다.
(have to, wear, sweater, school label)

→ _____

7
고1 9월 응용

우리는 새것을 과대평가해서는 안 된다.
(should, overestimate, the new)

overestimate 과대평가하다

→ _____

8
고1 9월 응용

개인은 그들 자신의 기여에 대한 의견들을 마음에 새기는 것이 좋다.
(individuals, make mental notes on, comment, contributions)

→ _____

구조+해석 동사와 시제 표시하고 해석하기

본책 문장 LINK

SAMPLE
고1 6월 응용

We / are / members of the human race.
　　　V(현재)

128

→ 우리는 인류의 구성원들이다.

1
고1 3월 응용

The walk will be more interesting.

136

→ _____

2
고1 3월 응용

In life, too much of anything is not good for you.

127

→ _____

3
고1 9월 응용

Dinosaurs were different from anything alive today.

134

→ _____

4
고1 6월

Are the sources of information reliable?

130

→ _____

구문+서술형 우리말과 같도록 표현 배열하기

SAMPLE
고1 3월 응용

이 지역에서 배고픔이 유일한 문제는 아니었다.
(hunger / the only problem / in this area / wasn't)

133

→ Hunger wasn't the only problem in this area.

5
고1 9월 응용

세상은 신비하고 흥미로운 장소이다.
(the world / a mysterious and fascinating place / is)

126

→ _____

6
고1 6월

색의 역할이 항상 명확한 것은 아니다.
(obvious / aren't / the colors' roles / always)

129

→ _____

7
고1 9월 응용

나는 Kitty Hawk호의 선원이었다.
(a sailor / I / on the Kitty Hawk / was)

132

→ _____

8
고1 9월

울타리는 결코 전과 같지 않을 것이다.
(the same / never / will / be / the fence)

138

→ _____

구조+해석 동사와 시제 표시하고 해석하기

SAMPLE
고1 6월 응용

I'm / Wilhemina Smiths, / Smiths with an *s* at both ends.
V(현재)

→ 나는 Wilhemina Smiths야, 이름 양 끝에 's'가 있는 Smiths지.

1
고1 3월

The key difference between these two cases is the level of trust.   key 주요한

→ _____

2
고1 3월 응용

Her parents were very grateful.   grateful 고맙게 생각하는

→ _____

3
고1 3월

Most of us are suspicious of rapid cognition.   suspicious of ~을 의심하는
rapid 빠른   cognition 인식

→ _____

4
고1 3월 응용

Your relationships will be free from the poison of lies and secrets.   poison 해악

→ _____

구문+서술형 표현 활용하여 영작하기

SAMPLE
고1 9월 응용

그녀는 1976년부터 1988년까지 Pugwash Conferences의 의장이었다.
(president, the Pugwash Conferences)   president 의장

→ She was president of the Pugwash Conferences from 1976 to 1988.

5
고1 6월 응용

표정들은 '감정들의 보편적인 언어'가 아니다.
(facial expression, the universal language, emotion)   emotion 감정

→ _____

6
고1 3월

피자와 청량음료가 판매될 예정이다.
(pizza, soft drinks, available, for sale)   available 이용할 수 있는

→ _____

7
고1 9월

갈등은 좋은 이야기의 추진력이다.
(conflict, the driving force)   conflict 갈등

→ _____

8
고1 9월 응용

그 장애물들은 그의 준비의 일부였다.
(obstacle, part of, preparation)   preparation 준비

→ _____

구조+해석 동사와 시제 표시하고 해석하기 본책 문장 LINK

SAMPLE
고1 6월 응용

Our herd behavior / determines / our decision-making. 141
　　　　　　　　　　V(현재)

→ 우리의 무리 행동은 우리의 의사 결정을 결정한다.

1
고1 3월

In general, Asians do not reach out to strangers. 146

→ _____

2
고1 3월

Every participant will receive a certificate for entry! 151

→ _____

3
고1 3월 응용

I learned a big lesson today. 148

→ _____

4
고1 6월 응용

He used poor materials and didn't put much effort into his last work. 149

→ _____

구문+서술형 우리말과 같도록 표현 배열하기

SAMPLE
고1 6월

그 프로그램들은 기상 조건에 상관없이 진행될 것입니다. 152
(weather conditions / will run / regardless of / the programs)

→ The programs will run regardless of weather conditions.

5
고1 3월 응용

Mary는 장난감 집으로 들어갔다. 147
(went / Mary / into the playhouse)

→ _____

6
고1 3월 응용

그 토스터는 1년의 품질 보증 기간을 가지고 있다. 142
(has / a year's warranty / the toaster)

→ _____

7
고1 6월 응용

당신의 Winston Magazine 구독 기간이 곧 만료될 것이다. 150
(to *Winston Magazine* / will end / your subscription / soon)

→ _____

8
고1 3월 응용

Amondawa 부족은 시간의 개념을 가지고 있지 않다. 145
(a concept of time / the Amondawa tribe / have / does not)

→ _____

기출 문장 + 구문 훈련

구조+해석 동사와 시제 표시하고 해석하기

SAMPLE
고1 9월

The teacher / looked at / him.
V(과거)

→ 스승이 그를 쳐다보았다.

1
고1 3월 응용

At the presentation, students will propose a variety of ideas.   a variety of 다양한

→ _____

2
고1 6월 응용

Some fish species don't need a swim bladder.   species 종(種)
swim bladder (물고기) 부레

→ _____

3
고1 9월

The CEO of a large company stepped out of a big black limousine.
step out of ~에서 나오다

→ _____

4
고1 9월 응용

They constantly reexamine their theories.   constantly 끊임없이
reexamine 재검토하다

→ _____

구문+서술형 표현 활용하여 영작하기

SAMPLE
고1 3월 응용

학교는 목화를 따는 시기가 끝난 후에 시작될 것이다.
(begin, cotton-picking season)

→ The school will begin after the cotton-picking season.

5
고1 6월 응용

사람들은 그들의 자유 의지를 포기하지 않았다.
(give up, free will)

→ _____

6
고1 3월 응용

일련의 입력들에 대해, 그 로봇은 똑같은 결과를 만들어낼 것이다.
(a set of, input, produce, the same output)   a set of 일련의

→ _____

7
고1 3월 응용

갑자기 그 소녀는 그 책을 잡아챘다.
(unexpectedly, grab, the book)   unexpectedly 갑자기

→ _____

8
고1 9월

오페라 가수들과 건조한 공기는 잘 어울리지 않는다.
(opera singer, dry air, get along)   get along 잘 어울리다

→ _____

옳은 문장에 ✔

1
고1 6월

a It will is fun.
b It will be fun.

2
고1 3월 응용

a You should develop a problem-solving design plan.
b You develop should a problem-solving design plan.

design 설계

3
고1 6월 응용

a The disagreements about the issue is typical of Europe's disunity.
b The disagreements about the issue are typical of Europe's disunity.

disunity 분열

4
고1 9월 응용

a You may remember not this.
b You may not remember this.

5
고1 6월

a Visitors can bought souvenirs and local crafts.
b Visitors can buy souvenirs and local crafts.

souvenir 기념품
craft 공예품

6
고1 6월 응용

a Dinosaurs existed around 200 million years ago.
b Dinosaurs exist around 200 million years ago.

exist 존재하다
million 100만

7
고1 6월

a Each kid must brings their own notebook computer.
b Each kid must bring their own notebook computer.

8
고1 9월 응용

a After the technical rehearsal, the theater company will meet with the director.
b After the technical rehearsal, the theater company will met with the director.

UNIT 4 ✈ 동사의 다양한 형태

		TRUE	FALSE
1	현재진행형은 과거에 일어난 일이 현재까지 영향을 미칠 때 쓴다.	☐	☐
2	미래진행형은 「will be+v-ing」 형태로 쓰고 '~될 것이다'로 해석한다.	☐	☐
3	완료형은 특정 시점까지의 완료, 경험, 계속, 결과 등을 나타낸다.	☐	☐
4	과거완료는 과거의 특정 시점보다 나중에 일어난 일을 나타낼 때 쓴다.	☐	☐
5	수동태는 동작에 영향을 받는 대상이 주어로 표현된다.	☐	☐
6	수동태의 기본 형태는 「be+p.p.」로, 주어와 시제에 따라 형태가 달라진다.	☐	☐
7	수동태의 현재완료는 '(…에 의해) 되고 있다'로 해석한다.	☐	☐
8	수동태 뒤에는 by 외에 다른 전치사를 쓸 수 없다.	☐	☐

구조+해석 동사와 시제 표시하고 해석하기 본책 문장 LINK

SAMPLE
고1 3월 응용

Advertising exchanges / are gaining / in popularity. [156]
                        V(현재진행)

→ 광고 교환은 인기를 얻고 있다.

1
고1 6월 응용

An old man was coming toward him from across the parking lot. [160]

→ _____

2
고1 3월 응용

You will be doing exercise. [163]

→ _____

3
고1 3월 응용

The audience at the contest were laughing out loud at his inability. [161]

→ _____

4
고1 9월 응용

More countries are acknowledging nature's rights. [153]

→ _____

구문+서술형 우리말과 같도록 표현 배열하기

SAMPLE
고1 6월

나는 Ashley Hale을 위해 당신에게 이 글을 쓰고 있다. [154]
(to you / am writing / on behalf of Ashley Hale / I)

→ I am writing to you on behalf of Ashley Hale.

5
고1 3월 응용

나는 약 40피트 정도의 물속에서 혼자 잠수하고 있었다. [159]
(I / in about 40 feet of water / was diving alone)

→ _____

6
고1 3월 응용

당신은 영적인 차원에서 당신 자신을 깨우치고 있다. [158]
(yourself / you're / on a spiritual level / awakening)

→ _____

7
고1 3월

다음 주부터, 당신은 마케팅부에서 일하고 있을 것이다. [162]
(from next week, / will be working / you / in the Marketing Department)

→ _____

8
고1 6월

우리는 현재 가이드가 안내하는 투어의 예약을 받고 있다. [157]
(for guided tours / we / bookings / are currently accepting)

→ _____

구조+해석　동사와 시제 표시하고 해석하기

SAMPLE
고1 3월 응용

Something / was moving / in the tunnels.
　　　　　　　V(과거진행)

→ 무언가가 터널 속에서 움직이고 있었다.

1
고1 6월

Soon, Tommy was skating all by himself.　　　　　　all by oneself 혼자서

→ _____

2
고1 6월

Our brains are constantly solving problems.　　　　　constantly 끊임없이

→ _____

3
고1 3월

We are looking for T-shirt designs for the Radio Music Festival.

→ _____

4
고1 3월 응용

The animal was protecting me.　　　　　　　　　　protect 보호하다

→ _____

구문+서술형　표현 활용하여 영작하기

SAMPLE
고1 9월

비는 조종석 창에 부딪히고 나는 더 악화되는 기상 속으로 들어가고 있다.
(get into, heavier weather)

→ **Rain hits the windscreen and** I am getting into heavier weather .

5
고1 3월

나는 가라앉고 있었고 거의 움직일 수가 없었다.
(I, sink)　　　　　　　　　　　　　　　　　　　　sink 가라앉다

→ _____ **and hardly able to move.**

6
고1 3월 응용

대부분의 시간에 우리는 너무 빨리 움직이고 있다.
(move, too fast)

→ **Most of the time** _____ .

7
고1 9월

사람들은 미소 짓고 있었고 우호적으로 보였다.
(people, smile)

→ _____ **and seemed friendly.**

8
고1 3월 응용

많은 회사들은 나이에 상관없이 근로자들을 고용하고 있다.
(company, hire, employee)　　　　　　　　　　　employee 근로자

→ _____ **regardless of their age.**

구조+해석 동사와 시제 표시하고 해석하기

본책 문장 LINK

SAMPLE
고1 9월 응용

Humans / have not always had / the abundance of food.
　　　　　V(현재완료·부정)

169

→ 인간은 음식의 풍부함을 항상 가졌던 것은 아니다.

1
고1 6월 응용

China has had only a single writing system from the beginning.

168

→ _____

2
고1 6월 응용

By 1906, he had moved to New York and was taking jobs.

176

→ _____

3
고1 9월 응용

From the beginning of human history, people have asked questions about the world.

167

→ _____

4
고1 6월

He had just come from the car wash and was waiting for his wife.

175

→ _____

구문+서술형 우리말과 같도록 표현 배열하기

SAMPLE
고1 6월 응용

산업 일자리들이 천천히 고갈되었고, 아무것도 그것들을 대체하지 못했다.
(and nothing / industrial jobs / had replaced / had slowly dried up, / them)

173

→ Industrial jobs had slowly dried up, and nothing had replaced them.

5
고1 6월 응용

그의 아버지는 감옥에 수감되어 있었다.
(had been / his father / in jail)

172

→ _____

6
고1 6월 응용

뉴 밀레니엄 시대 이후, 기업들은 더 많은 국제적 경쟁을 경험해 왔다. (businesses / since the new millennium, / more global competition / have experienced)

166

→ _____

7
고1 3월 응용

그녀의 어머니는 그녀의 어떠한 공연에서도 실수를 한 적이 없었다.
(a mistake / her mother / in any of her performances / had never made)

174

→ _____

8
고1 3월

당신의 마음은 아직 이 비교적 새롭게 생겨난 것에 적응하지 못했다.
(has not yet adapted / to this relatively new development / your mind)

170

→ _____

구조+해석 동사와 시제 표시하고 해석하기

SAMPLE
고1 9월 응용

Annemarie / had heard / the German word often enough before.
　　　　　　　V(과거완료)

→ Annemarie는 전에 그 독일어 단어를 충분히 자주 들어왔다.

1
고1 6월 응용

Europe has never come close to political unification.

→ _____

political 정치적
unification 통일

2
고1 3월 응용

We humans have become the earth's dominant species.

→ _____

dominant 지배적인
species 종(種)

3
고1 9월 응용

Kenge had lived his entire life in a dense jungle.

→ _____

entire 전체의
dense 무성한

4
고1 9월 응용

My wife and I have lived in Smalltown for more than 60 years.

→ _____

구문+서술형 완료형과 표현 활용하여 영작하기

SAMPLE
고1 6월 응용

용들은 항상 인간 상상의 산물이었다.
(dragon, be, product)

→ Dragons have always been the products _____ of the human imagination.

5
고1 9월

형제 중 한 명이 카운터에 지폐를 두고서 친구와 밖으로 나갔다.
(brother, leave, bill, counter)

→ _____ and walked outside with a friend.

bill 지폐

6
고1 6월

모두가 앉기보다는 일어서지만, 그 누구의 위치도 나아지지 않았다.
(no one's position, improve)

→ Everyone is on their feet rather than sitting, but _____ .

7
고1 6월 응용

Ashley는 (지금까지) 학업 수행에서 매우 강한 헌신적인 태도를 보여 왔다.
(display, commitment)

→ _____ to her academic performance.

commitment 헌신적인 태도

8
고1 3월 응용

Meghan Vogel은 지쳤다. 그녀는 주 선수권 대회에서 막 우승을 했다.
(just, win, the state championship)

→ Meghan Vogel was tired. She _____ .

구조+해석 동사의 시제와 태 표시하고 해석하기

본책 문장 LINK

SAMPLE
고1 6월 응용

Joshua trees / are protected / by law. 178
V(현재 수동태)

→ Joshua tree는 법에 의해 보호된다.

1
고1 3월

In the classical fairy tale the conflict is often permanently resolved. 180

→ _____

2
고1 3월

Winners will be announced on March 27, 2020. 187

→ _____

3
고1 3월

In all cases, 15 of the problems were solved correctly. 184

→ _____

4
고1 3월 응용

This position is not generally shared. 181

→ _____

구문+서술형 우리말과 같도록 표현 배열하기

SAMPLE
고1 9월 응용

여름휴가는 그것의 가장 흥미로운 부분이 기억될 것이다. 188
(a summer vacation / for its highlights / will be recalled)

→ A summer vacation will be recalled for its highlights.

5
고1 3월 응용

Debbie는 승무원 모두로부터 인사를 받았다. 182
(was greeted / Debbie / by all of the flight attendants)

→ _____

6
고1 9월 응용

이러한 종류의 전기는 마찰에 의해서 생성된다. 177
(this kind of electricity / by friction / is produced)

→ _____

7
고1 9월

신발은 매 격주 화요일에 수거될 것이다. 186
(every two weeks / be picked up / will / shoes / on Tuesdays)

→ _____

8
고1 3월 응용

그의 희곡 중 다수가 최초의 창작 후에 개작되었다. 185
(after their original composition / were rewritten / many of his plays)

→ _____

구조+해석　동사의 시제와 태 표시하고 해석하기

SAMPLE
고1 6월

An interesting study about facial expressions / was recently published / by the
American Psychological Association.
　　　　　　　　　　　　　　　　　　　　　V(과거 수동태)

→ 표정에 관한 흥미로운 연구가 최근에 미국 심리학회에서 발표됐다.

1
고1 9월

People are not always defined by their behavior.　　　　　　define 정의하다

→ _____

2
고1 3월 응용

You will be left behind in the race of life.

→ _____

3
고1 3월 응용

The first underwater photographs were taken by an Englishman.　underwater 수중의

→ _____

4
고1 9월 응용

The meeting is never rescheduled at a different time.

→ _____

구문+서술형　표현 활용하여 영작하기

SAMPLE
고1 9월 응용

번개는 전하들의 커다란 흐름에 의해서 야기된다.
(cause, a large flow, electrical charges)　　　　　electrical charge 전하

→ **The lightning** is caused by a large flow of electrical charges _____.

5
고1 9월 응용

모든 구매자에게 무료 블루투스 헤드셋이 주어질 것이다.
(free, bluetooth headset, give)　　　　　　　　　free 무료의

→ _____ **to every buyer.**

6
고1 9월

초기 사회에 있어, 가장 기초적인 의문들에 대한 대답들은 종교에서 발견되었다.
(answer, the most basic, question, find, religion)　　religion 종교

→ **For early societies,** _____.

7
고1 6월 응용

당신의 몸짓언어 신호는 서로 단절된다.
(body language signals, disconnect)　　　　　disconnect 단절하다

→ _____ **from one another.**

8
고1 3월 응용

그의 발표는 독일의 임원들에게 받아들여지지 않았다.
(receive, the German executives)　　　　　executive 임원

→ **His presentation** _____.

구조+해석 동사의 시제와 태 표시하고 해석하기

본책 문장 **LINK**

SAMPLE
고1 6월 응용

Dinosaurs' bones / have been preserved / as fossils.
　　　　　　　V(현재완료 수동태)

→ 공룡들의 뼈는 화석으로 보존되어 왔다.

`194`

1
고1 9월 응용

The object had been transferred to the second box.

→ _____

`198`

2
고1 6월 응용

Unfortunately, many Joshua trees have been dug up.

→ _____

`195`

3
고1 3월 응용

It was being taped.

→ _____

`189`

4
고1 6월

His works have been widely read and still enjoy great popularity.

→ _____

`196`

구문+서술형 우리말과 같도록 표현 배열하기

SAMPLE
고1 9월 응용

수감자들 중 75 퍼센트가 유죄로 선고를 받았었다.
(had been / guilty / seventy-five percent of prisoners / declared)

→ Seventy-five percent of prisoners had been declared guilty.

`199`

5
고1 3월 응용

중앙아메리카는 일련의 허리케인에 의해 피해를 당했다.
(by a series of hurricanes / hit / has been / Central America)

→ _____

`191`

6
고1 9월 응용

장애물이 그의 길에 놓여 있었다.
(placed / in his path / the obstacles / had been)

→ _____

`197`

7
고1 3월

내 팔이 강제로 들어 올려지고 있었다.
(was / my arm / forcibly / being lifted)

→ _____

`190`

8
고1 6월

그녀의 소설 중 한 권은 80개 이상의 언어로 번역되었다. (translated / has been / one of her novels / into more than eighty languages)

→ _____

`192`

구조+해석　동사의 시제와 태 표시하고 해석하기

SAMPLE
고1 9월 응용

Traditionally, / these chemicals / <u>have been considered</u> / alarm signals.
　　　　　　　　　　　　　　　　V(현재완료 수동태)

→ 전통적으로, 이 화학물질들은 경고 신호로 여겨져 왔다.

1
고1 3월 응용

They have been exposed repeatedly to "background noise" since early childhood.

expose 노출시키다

→ _____

2
고1 3월 응용

Your body is being overworked.

overwork 혹사시키다

→ _____

3
고1 3월 응용

The effect of dams has been observed on salmon.

observe 관찰하다
salmon 연어

→ _____

4
고1 3월 응용

This method is now being used all over the world.

method 방법

→ _____

구문+서술형　표현 활용하여 영작하기

SAMPLE
고1 9월 응용

참가자들이 사진을 받았을 때, 그 사진은 덜 매력적인 사진으로 교체되어 있었다. (it, have, switch)

→ When participants received the photo, <u>it had been switched</u> to the less attractive photo.

5
고1 9월 응용

그녀는 전에 그 단어를 들어왔지만, 그 말이 자신을 향했던 적은 결코 없었다.
(it, have, never, direct)

→ She had heard the word before, but _____ at her.

6
고1 9월 응용

이와 똑같은 결과가 다양한 분야에서 (지금까지) 관찰되어 왔다.
(this same finding, have, observe)

observe 관찰하다

→ _____ in various domains.

7
고1 3월 응용

그 상처가 치료된 후, 가족들은 부엌 식탁에 둘러앉았다.
(the wound, have, treat)

wound 상처

→ After _____ , the family sat around the kitchen table.

8
고1 6월

인터넷상에는 수천만 개의 웹페이지가 존재하고, 훨씬 더 많은 수가 매일 추가되고 있다.
(many more, add)

→ Tens of millions of pages exist on the Internet, and _____ .

ANSWERS↓ p.13

구조+해석 수동태와 전치사 표시하고 해석하기

본책 문장 LINK

SAMPLE
고1 6월

Each class / is limited to / 10 kids.
　　　　　　수동태+전치사

202

→ 각 수업은 10명으로 제한된다.

1
고1 6월 응용

The evidence is based on the personal opinions from a small sample.

208

→ _____

2
고1 3월 응용

Another group of students is involved in traditional research techniques.

204

→ _____

3
고1 9월

The boy's parents were concerned about his bad temper.

206

→ _____

구문+서술형 우리말과 같도록 표현 배열하기

SAMPLE
고1 3월 응용

Füstenau는 플루트에 더 흥미가 있었다.
(more interested / was / in / Füstenau / the flute)

205

→ Füstenau was more interested in the flute.

4
고1 3월 응용

인생은 많은 위험과 도전으로 가득 차 있다.
(filled / life / is / a lot of risks and challenges / with)

200

→ _____

5
고1 3월 응용

대부분의 사람이 비행을 무서워한다.
(frightened / most people / flying / were / of)

207

→ _____

6
고1 3월 응용

지속적으로 소음에 노출되는 것은 아이들의 학업 성취와 관계가 있다. (related / is / children's academic achievement / to / constant exposure to noise)

203

→ _____

구조+해석 수동태와 전치사 표시하고 해석하기

SAMPLE
고1 9월 응용

Heavy caffeine consumption / is associated with / a risk of breast cancer.
                                    수동태+전치사   consumption 섭취 breast cancer 유방암

→ 과도한 카페인 섭취는 유방암에 걸릴 위험과 관련이 있다.

1
고1 6월 응용

At that time, I was excited about boats.

→ _____

2
고1 9월 응용

One variable is related to a second variable.   variable 변인

→ _____

3
고1 3월 응용

People are engaged in service to others.   engage 종사시키다

→ _____

구문+서술형 표현 활용하여 영작하기

SAMPLE
고1 9월 응용

여러분은 분명히 도중에 어느 시점에서 실망하게 될 것이다.
(certainly, disappoint, along the way)   disappoint 실망시키다

→ You will certainly be disappointed at some points along the way.

4
고1 3월 응용

결정의 질은 노력과 직접적인 관계가 있다.
(quality, decision, directly, relate, the effort)

→ _____

5
고1 6월 응용

저 선반은 건강에 좋은 간식들로 가득 차 있다.
(shelf, fill, healthy snack)

→ _____

6
고1 3월 응용

그녀는 '맨발의 디바'로 알려졌다.
(know, Barefoot Diva)

→ _____

옳은 문장에 ✓

1
고1 3월

a You asking for a new toaster or a refund.

b You were asking for a new toaster or a refund.

refund 환불

2
고1 9월 응용

a Obviously, a third variable is related to both.

b Obviously, a third variable is related by both.

3
고1 6월 응용

a Humans had observed the rainbow since the beginning of time.

b Humans had observing the rainbow since the beginning of time.

4
고1 6월 응용

a Her early life was influenced by her father's historical knowledge.

b Her early life influenced by her father's historical knowledge.

5
고1 6월 응용

a This lively market is hold every Saturday in July.

b This lively market is held every Saturday in July.

lively 생동감 넘치는
hold 열다, 개최하다

6
고1 9월 응용

a We have been asked by some of the residents here.

b We have been ask by some of the residents here.

resident 주민

7
고1 6월 응용

a People have depended on the cooperation of others for the supply of food.

b People have depend on the cooperation of others for the supply of food.

8
고1 6월 응용

a It is not been preyed upon by another.

b It is not being preyed upon by another.

prey 잡아먹다

UNIT 5

동사의 주어, 목적어, 보어 역할

		TRUE	FALSE
1	동사가 형태를 바꾸어 문장에서 원래 동사 자리 외에 다른 곳에 쓰이는 것을 준동사라고 한다.	☐	☐
2	동명사와 to부정사는 주어 자리에 올 수 있고, 뒤에 복수 동사가 온다.	☐	☐
3	주어로 쓰인 to부정사구 대신 가주어 it을 쓸 수 있다.	☐	☐
4	동사 forget, remember, regret, try의 목적어로는 to부정사와 동명사가 올 수 있고, 서로 바꿔 써도 의미가 같다.	☐	☐
5	to부정사와 동명사는 주격보어로 쓰여, 주어를 보충 설명할 수 있다.	☐	☐
6	감정을 나타내는 동사의 현재분사, 과거분사는 형용사로 굳어져 주격보어로 쓰인다.	☐	☐
7	사역동사와 지각동사는 목적격보어로 to부정사를 쓴다.	☐	☐
8	목적어와 목적격보어로 쓰인 분사의 관계가 수동일 때 현재분사를 쓴다.	☐	☐

구조+해석 주어(S), 동사(V) 표시하고 해석하기

본책 문장 LINK

SAMPLE
고1 3월 응용

Climbing stairs / provides / a good workout.
　　S(동명사구)　　　　V

213

→ 계단을 오르는 것은 좋은 운동이 된다.

1
고1 3월 응용

Putting your plan down on paper will clarify your thoughts.

209

→ _____

2
고1 9월 응용

Studying history can make you more knowledgeable.

216

→ _____

3
고1 9월 응용

It is a mistake to reward all of your child's accomplishments.

220

→ _____

4
고1 3월

To take risks means you will succeed sometime but never to take a risk means that you will never succeed.

217

→ _____

구문+서술형 우리말과 같도록 표현 배열하기

SAMPLE
고1 3월 응용

가치 있는 것을 만들어 내는 것은 여러 해 동안의 그런 결실 없는 노동을 필요로 할지도 모른다.
(years of such fruitless labor / may require / to produce something worthwhile)

218

→ To produce something worthwhile may require years of such fruitless labor.

5
고1 6월 응용

신체적 따뜻함을 경험하는 것은 대인 관계의 따뜻함을 증진시킨다.
(interpersonal warmth / experiencing physical warmth / promotes)

214

→ _____

6
고1 6월 응용

새로운 제품 범주를 도입하는 것은 어렵다.
(difficult / is / introducing a new product category)

210

→ _____

7
고1 3월 응용

관심이 다른 친구들을 갖는 것은 삶을 흥미롭게 한다.
(with other interests / having friends / keeps / interesting / life)

215

→ _____

8
고1 3월 응용

수컷과 암컷 chuckwalla를 구별하는 것은 쉽지 않다.
(easy / to distinguish between male and female chuckwallas / is not / it)

219

→ _____

구조+해석 주어(S), 동사(V) 표시하고 해석하기

SAMPLE
고1 3월 응용

It's / easy / to say 〈one should keep cool〉.
S(가주어)+V   S'(진주어: to부정사구)

keep cool 침착함을 유지하다

→ 침착함을 유지하라고 말하는 것은 쉽다.

1
고1 9월

It is easy to judge people based on their actions.

judge 판단하다

→ _____

2
고1 9월 응용

Reading more is a good habit.

→ _____

3
고1 6월 응용

Investing in the stock market is a risk.

invest 투자하다

→ _____

4
고1 6월 응용

Seeking closeness and meaningful relationships has long been vital for human survival.

vital 필수적인

→ _____

구문+서술형 표현 활용하여 영작하기

SAMPLE
고1 3월 응용

2013년에 웹 사이트나 앱을 사용하는 것은 네 번째로 가장 인기가 있는 방법이었다.
(use, websites, apps, be, popular)

→ Using websites or apps was the fourth most popular way in 2013.

5
고1 9월

식사를 하는 것은 인간 사회의 표식이고 인간을 짐승과 구별했다.
(dine, be, a sign of, community, differentiate, men, beasts)

differentiate 구별하다

→ _____

6
고1 3월 응용

그것들 모두에 능숙하기는 불가능하다.
(it, impossible, be skilled)

→ _____

7
고1 9월 응용

그것을 이런 방식으로 생각하는 것은 저소득 계층에 있는 사람들 사이의 빚을 간과한다.
(think, this way, overlook, debt, low-income, brackets)

debt 빚

→ _____

8
고1 9월 응용

Franklin의 의견으로는, 누군가에게 무언가를 요구하는 것은 가장 유용하고 즉각적인 초대였다.
(opinion, ask ~ for, someone, useful, immediate, invitation)

immediate 즉각적인

→ _____

구조+해석 목적어(O) 또는 전치사의 목적어 표시하고 해석하기

본책 문장 LINK

SAMPLE
고1 9월 응용

She / finished / writing *The Age of Innocence* / there. 224
　　　　　　　　　O(동명사구)

→ 그녀는 그곳에서 '순수의 시대'를 집필하는 것을 끝마쳤다.

1
고1 3월 응용

God was enjoying listening to the sound of the frog. 221

→ _____

2
고1 3월 응용

We must pay the price for achieving the greater rewards. 228

→ _____

3
고1 3월 응용

Toby vowed not to forget the boy. 230

→ _____

4
고1 6월

We hope to give some practical education to our students in regard to 233
industrial procedures.

→ _____

구문+서술형 우리말과 같도록 표현 배열하기

SAMPLE
고1 3월 응용

그는 커다란 슬픈 눈을 가진 그 어린 소년에 대한 생각을 멈출 수 없었다. 225
(he / thinking about the little boy / couldn't stop / with the big sad eyes)

→ He couldn't stop thinking about the little boy with the big sad eyes.

5
고1 3월

그 단체는 그들의 다음번 아프리카 방문에 그 티셔츠들을 수송하겠다고 동의했다. 232
(the organization / on their next trip to Africa / to transport the T-shirts /
agreed)

→ _____

6
고1 3월

여러분은 신생아부터 십 대까지 어린이를 위한 장난감을 찾는 것을 기대할 수 있다. 229
(you / to find / can expect / toys for children from birth to teens)

→ _____

7
고1 6월 응용

소비자로서 우리는 광고의 주장을 너무 진지하게 받아들이는 것을 피해야 한다. 226
(we / have to avoid / as consumers / taking advertising claims too seriously)

→ _____

8
고1 3월 응용

우리는 당신으로부터 훌륭한 작업을 보는 것을 기대하고 있다. 227
(seeing excellent work from you / we / are looking forward to)

→ _____

구조+해석 목적어(O) 또는 전치사의 목적어 표시하고 해석하기

SAMPLE
고1 3월

After much thought, / they / decided / to adopt four special-needs international children.
O(to부정사구)

→ 심사숙고 끝에, 그들은 특수 장애가 있는 네 명의 해외 아이들을 입양하기로 결정했다.

1
고1 3월

By living true to yourself, you'll avoid a lot of headaches.   headache 골칫거리

→ _____

2
고1 6월

Grand Park Zoo offers to explore the amazing animal kingdom!   explore 탐험하다

→ _____

3
고1 6월

He agreed to supply tons of food to the starving Polish people.   starving 굶주리는

→ _____

4
고1 3월 응용

Keep working on one habit long enough.

→ _____

구문+서술형 표현 활용하여 영작하기

SAMPLE
고1 6월 응용

그들은 더 큰 그림, 즉 사회적 인식의 모든 다양한 측면들을 보기를 멈추게 된다.
(stop, see, bigger picture, diverse aspect, social perception)   diverse 다양한

→ They stop seeing the bigger picture, all the diverse aspects of social perception.

5
고1 3월

그곳에서 귀하를 뵐 수 있기를 기대합니다.
(look forward to, see you)

→ _____

6
고1 3월

Fred는 몇 가지 농담들을 한 것으로는 어떤 점수도 얻지 못했다.
(win, point, tell, a few, joke)

→ _____

7
고1 3월

여러분은 여러분의 과거를 잊고 놓아주기로 결심해야 한다.
(must, decide, forget, let go of, past)   let go of 놓아주다

→ _____

8
고1 3월

결국, 여러분은 행복해지기를 선택하거나 비참해지기를 선택한다.
(after all, choose, be, miserable)   miserable 비참한

→ _____

구조+해석 동사(V)와 목적어(O) 표시하고 해석하기 본책 문장 LINK

SAMPLE
고1 6월 응용

You'll continue / to receive your monthly issue of *Winston Magazine*. 239
　　　　V　　　　　　　　　　　　　　　　O(to부정사구)

→ 당신은 월간지 'Winston Magazine'을 받는 것을 계속할 것이다.

1
고1 3월 응용

Later, you can start to love them again. 237

→ _____

2
고1 6월

Kevin said, "Thanks," and continued wiping off his car. 238

→ _____

3
고1 9월 응용

The first experimenter tried retrieving the object from the first box. 244

→ _____

4
고1 3월 응용

He had unfortunately forgotten to include the check. 246

→ _____

구문+서술형 우리말과 같도록 표현 배열하기

SAMPLE
고1 6월

사람들은 박수를 치고 노래를 부르기 시작했다. 236
(clapping / started / people / and singing)

→ People started clapping and singing.

5
고1 3월 응용

그 사람들은 캥거루 같은 꼬리가 있고 무릎이 없는 것을 싫어했다. 235
(the people / and no knees / having kangaroo tails / hated)

→ _____

6
고1 9월 응용

물건을 사기보다는 물건을 만드는 데서 즐거움을 찾도록 해 보아라. 243
(finding pleasure / try / rather than buying things / in creating things)

→ _____

7
고1 3월 응용

그는 자신의 약속을 지키려고 노력했다. 245
(his promise / tried / to keep / he)

→ _____

8
고1 3월 응용

많은 젊은이들이 숙제를 찔끔하는 것과 즉각적으로 메시지를 주고받는 것을 함께 하는 것을 좋아한다. (to combine a bit of homework / like / with quite a lot of instant messaging / most young people) 241

→ _____

구조+해석 동사(V)와 목적어(O) 표시하고 해석하기

SAMPLE
고1 6월 응용

Young boys and girls / began / dancing to flute music and drum beats.
               V   O(동명사구)

→ 어린 소년들과 소녀들이 플루트 음악과 북 장단에 맞춰 춤을 추기 시작했다.

1
고1 6월 응용

A person and a chimp start running.

→ _____

2
고1 3월 응용

He forgot to give them knees.

→ _____

3
고1 6월

A bit later, the car behind started to flash its lights at us.　　flash 비추다

→ _____

4
고1 3월

The AI robot may try to push the obstacle out of the way, or make up a new route, or change goals.

→ _____

구문+서술형 표현 활용하여 영작하기

SAMPLE
고1 6월 응용

우리는 종종 너무 많은 것들을 너무 많은 방법으로 흡수하려고 노력한다.
(try, absorb, too, way)　　absorb 흡수하다

→ We often try to absorb too much in too many ways.

5
고1 3월 응용

그는 머리를 살짝 숙여 인사하는 것을 기억했다.
(remember, bow, head, slightly)

→ _____

6
고1 3월 응용

나는 대답을 해야 할 것을 잊었다.
(forget, give, answer)

→ _____

7
고1 9월 응용

우리는 문화적 다양성에 대한 질문들의 답을 찾으려고 노력한다.
(find answers, questions, cultural diversity)　　cultural diversity 문화적 다양성

→ _____

8
고1 6월

그들은 길을 따라 걷기 시작했다.
(start, walk, road)

→ _____

구조+해석 주어(S)와 주격보어(C) 표시하고 해석하기   본책 문장 LINK

SAMPLE
고1 3월

Even the judges / looked / disappointed.   258
    S   C(과거분사)

→ 심사 위원들조차 실망한 것처럼 보였다.

1
고1 6월 응용

The best way is to contrast an argument with an opinion.   249

→ _____

2
고1 3월 응용

His dream was to be a professional baseball player.   247

→ _____

3
고1 6월 응용

The challenge for educators is to ensure individual competence in basic skills.   250

→ _____

4
고1 3월

It was amazing.   254

→ _____

구문+서술형 우리말과 같도록 표현 배열하기

SAMPLE
고1 9월

2000년에, 스코틀랜드의 Glasgow시 정부는 중요한 범죄 예방 전략을 우연히 발견한   253
것처럼 보였다. (the government in Glasgow, Scotland, / to stumble on a
remarkable crime prevention strategy / appeared / in 2000,)

→ In 2000, the government in Glasgow, Scotland, appeared to stumble on a remarkable
crime prevention strategy.

5
고1 3월

그들의 임무는 파이프를 조사하고 새는 곳을 고치는 것이었다.   248
(to look into the pipe / was / their job / and fix the leak)

→ _____

6
고1 9월 응용

'혼합된 신호들'은 혼란스러울 수도 있다.   255
(confusing / "Mixed-signals" / can be)

→ _____

7
고1 3월 응용

작은 변화들은 당장은 크게 중요한 것 같지 않다.   252
(in the moment / to matter very much / don't seem / small changes)

→ _____

8
고1 3월

Serene은 놀랐다.   256
(surprised / was / Serene)

→ _____

구조+해석 주어(S)와 주격보어(C) 표시하고 해석하기

SAMPLE
고1 9월 응용

<u>The solution</u> / was / <u>to move the arrival gates away from the baggage claim</u>.
　　　S　　　　　　　　　　　　　　　　　C(to부정사구)

→ 해결책은 도착 게이트를 수하물 찾는 곳으로부터 더 멀리 이동시키는 것이었다.

1
고1 6월

The purpose of setting goals is to win the game.　　　set a goal 목표를 세우다

→ _____

2
고1 6월

Fluorescent lighting can also be tiring.　　　fluorescent 형광등

→ _____

3
고1 6월

The student was surprised, and thanked him heartily.

→ _____

4
고1 3월 응용

The results never seem to come quickly.

→ _____

구문+서술형 표현 활용하여 영작하기

SAMPLE
고1 6월

그의 행색으로 보아, 그는 집도 돈도 없어 보였다.
(the looks of, seem, have, no)

→ From the looks of him, he seemed to have no home and no money.

5
고1 6월 응용

유일한 방법은 방을 나간 후 다시 들어오는 것이다.
(walk out of, come back in)

→ _____

6
고1 3월

어린 Mary는 매우 신이 났다.
(young, be, excite)

→ _____

7
고1 9월 응용

이 피드백은 종종 고무적일 것이다.
(feedback, be, encourage)

→ _____

8
고1 6월 응용

파리들이 줄무늬 위에 앉는 것을 피하는 것처럼 보였다.
(fly, seem, avoid, land, stripes)　　　stripes 줄무늬

→ _____

구조+해석 목적어(O)와 목적격보어(C) 표시하고 해석하기

본책 문장 LINK

SAMPLE
고1 3월 응용

Charlie Brown and Bondie / help / me / to start the day with a smile.
          O   C(to부정사구)

266

→ Charlie Brown과 Blondie는 내가 미소로 하루를 시작할 수 있도록 도와준다.

1
고1 6월

He asked the great pianist Igancy Paderewski to come and play.

259

→ _____

2
고1 3월

Her smile made me smile and feel really good inside.

267

→ _____

3
고1 3월 응용

One group of subjects saw the person solve more problems correctly.

271

→ _____

4
고1 6월 응용

Emoticons allowed users to correctly understand the level of emotion.

263

→ _____

구문+서술형 우리말과 같도록 표현 배열하기

SAMPLE
고1 3월

그녀의 부모님은 그녀가 불이 난 것에 대해 뭔가 말할 것이라고 예상했다.
(her parents / her / expected / to say something about the fire)

260

→ Her parents expected her to say something about the fire.

5
고1 3월 응용

이러한 접근법은 당신이 불편한 사회적 상황에서 벗어나도록 도와줄 수 있다.
(you / can help / this approach / escape / uncomfortable social situations)

264

→ _____

6
고1 3월 응용

전문가들은 사람들에게 승강기 대신 계단을 이용하라고 조언한다.
(advise / people / experts / instead of the elevator / to take the stairs)

262

→ _____

7
고1 6월

그런 능력은 우리 조상들이 먹잇감을 이기고 앞질러서 달리게 했다.
(that ability / let / outmaneuver and outrun prey / our ancestors)

269

→ _____

8
고1 3월 응용

Andrew Carnegie가 한 번은 그의 누이가 그녀의 두 아들에 대해 불평하는 것을 들었다.
(his sister / once heard / Andrew Carnegie / complain about her two sons)

272

→ _____

구조+해석 목적어(O)와 목적격보어(C) 표시하고 해석하기

SAMPLE
고1 6월

In one study, / researchers / asked / students / to arrange ten posters in order of beauty.
　　　　　　　　　　　　　　　　　O　　　　　C(to부정사구)

→ 한 연구에서, 연구자들은 학생들에게 10개의 포스터를 아름다운 순서대로 배열하도록 요청했다.

1
고1 6월 응용

Teachers in the past encouraged students to acquire teamwork skills.

→ _____

2
고1 3월 응용

I heard someone say, "Today's your lucky day!"

→ _____

3
고1 9월 응용

Lots of muscles in our faces enable us to move our face into lots of different positions.

→ _____

4
고1 6월

Suddenly, I saw a hand reach out from between the steps and grab my ankle.

→ _____

구문+서술형 to부정사 또는 원형부정사와 표현 활용하여 영작하기

SAMPLE
고1 6월 응용

모든 사건이 여러분을 행복하다고 느끼게 만든다.
(every, event, make, feel)

→ Every event makes you feel happy.

5
고1 9월 응용

십 대 한 명이 내가 절망에 빠져 타이어를 발로 차는 것을 보았다.
(teenager, kick a tire, in frustration)

→ _____

6
고1 3월

부화와 둥지로부터의 비상 사이에 그들의 연장된 기간은 그들로 하여금 지능을 발달시킬 수 있게 해 준다. (extended period, hatching and flight, nest, enable, develop, intelligence)

→ _____

7
고1 9월 응용

Steinberg와 Gardner는 무작위로 몇몇 참가자들이 혼자 게임을 하도록 배치했다.
(randomly, assign, participant, play, alone)　　　　　　assign 배치하다

→ _____

8
고1 9월 응용

그는 내게 그런 어리석은 거짓말들을 하지 말라고 말했다.
(tell, such, stupid, lie)　　　　　　stupid 어리석은

→ _____

구조+해석 목적어(O)와 목적격보어(C) 표시하고 해석하기 본책 문장 LINK

SAMPLE
고1 3월

I / heard / something / moving slowly along the walls. 276
　　　　　　　O　　　　C(현재분사구)

→ 나는 무엇인가 벽을 따라 천천히 움직이는 소리를 들었다.

1
고1 9월 응용

I find my whole body loosening up and at ease. 277

→ _____

2
고1 6월 응용

They see one employee going about a task differently than another. 275

→ _____

3
고1 3월 응용

You will feel your spirit lifted. 280

→ _____

4
고1 6월 응용

He found some of the workers not wearing their hard hats. 279

→ _____

구문+서술형 우리말과 같도록 표현 배열하기

SAMPLE
고1 9월 응용

당신은 TV가 설치되기를 원한다.
(you / installed / the TV / want)

→ You want the TV installed. 281

5
고1 3월 응용

나는 뭔가가 나를 향해 기어 오고 있는 것을 보았다.
(I / creeping toward me / saw / something)

→ _____ 274

6
고1 3월 응용

나는 새로 출시된 휴대 전화가 바로 내 옆에 놓여 있는 것을 보았다.
(I / saw / sitting right next to me / a brand new cell phone)

→ _____ 273

7
고1 6월 응용

많은 사람들이 자신이 예전 습관으로 되돌아가고 있는 것을 발견한다.
(find / to their old habits / many people / themselves / returning)

→ _____ 278

8
고1 3월 응용

우리는 발전기가 우리 집 바로 밖에 놓여있는 있는 것을 발견했다.
(found / parked right outside of our house / a generator / we)

→ _____ 282

구조+해석 목적어(O)와 목적격보어(C) 표시하고 해석하기

SAMPLE
고1 6월

Then, / she / saw / a horse / coming towards them.
　　　　　　　　　　O　　　　C(현재분사구)

→ 그때, 그녀는 말 한 마리가 그들 쪽으로 다가오는 것을 보았다.

1
고1 3월 응용

Don't leave the reader guessing about Laura's beautiful hair.

→ _____

2
고1 9월 응용

We notice it popping up again and again.

→ _____

3
고1 6월 응용

Leave good foods like apples and pistachios sitting out instead of crackers and candy.

→ _____

4
고1 9월 응용

You see your friend smiling and engaging you with friendly eye contact.

→ _____

구문+서술형 현재분사 또는 과거분사와 표현 활용하여 영작하기

SAMPLE
고1 9월 응용

이것은 전체 거리가 더 길게 이동되도록 만든다.
(make, distance, cover)　　　　　　　　　　　　　　　　　cover (언급된 거리를) 가다

→ This makes the total distance covered longer.

5
고1 6월 응용

그는 자신이 노부인의 옆에 앉아 있는 것을 발견했다.
(find, sit, next to, old woman)

→ _____

6
고1 3월 응용

그녀는 비가 천천히 사라지기 시작하는 것을 보았다.
(see, begin, fade)　　　　　　　　　　　　　　　　　fade 서서히 사라지다

→ _____

7
고1 3월

나는 어느 날 할아버지가 덤불을 보고 계신 것을 보았다.
(once, watch, look at, bush)　　　　　　　　　　　　　bush 덤불

→ _____

8
고1 3월

그때 나는 Justin이 나를 향해 오고 있는 것을 보았다.
(at that time, see, head, one's way)　　　　　　　　　　head 가다, 향하다

→ _____

1

고1 6월

  a Time seemed to pass faster for the older group.

  b Time seemed passing faster for the older group.

2

고1 9월

  a Build on positive accomplishments can reduce nervousness.   accomplishment 성과

  b Building on positive accomplishments can reduce nervousness.

3

고1 3월

  a He kept singing, and the fly landed back on his nose.

  b He kept to sing, and the fly landed back on his nose.

4

고1 9월

  a Don't forget to wear closed-toe shoes.   closed-toe shoes 앞이 막힌 신발

  b Don't forget wearing closed-toe shoes.

5

고1 3월

  a I have decided using kind words more just like you.

  b I have decided to use kind words more just like you.

6

고1 6월 응용

  a We can increase the satisfaction by controlling our expectations.   satisfaction 만족감

  b We can increase the satisfaction by controlled our expectations.

7

고1 3월 응용

  a The group saw the person perform better on the initial examples.   initial 초반의

  b The group saw the person to perform better on the initial examples.

8

고1 3월 응용

  a The saint tells the frog to be quiet.

  b The saint tells the frog being quiet.

UNIT 6

✈

동사의 수식어 역할

핵심 개념 확인

		TRUE	FALSE
1	to부정사는 명사를 수식하는 수식어 역할을 할 수 있다.	☐	☐
2	to부정사는 -thing/-one/-body로 끝나는 대명사를 뒤에서 수식한다.	☐	☐
3	현재분사와 동명사는 형태와 쓰임이 동일하다.	☐	☐
4	과거분사는 단독으로 쓰일 때 명사를 뒤에서 수식한다.	☐	☐
5	「in order+to부정사」는 '~하기 위해서'라는 목적의 의미를 나타낸다.	☐	☐
6	to부정사는 형용사와 부사를 수식하는 역할을 할 수 없다.	☐	☐
7	분사구문은 문장에 시간, 이유, 조건, 양보, 동시동작, 연속동작 등 다양한 의미를 더해 준다.	☐	☐
8	「(Being+)P.P. ~」 형태의 분사구문은 '진행'을 나타낸다.	☐	☐

구조+해석 to부정사(구)와 수식 대상 표시하고 해석하기

본책 문장 LINK

SAMPLE
고1 3월

Noise in the classroom / has negative effects / on communication patterns and the ability 〈to pay attention〉. 286

↳ to부정사구

→ 교실 안의 소음은 의사소통 패턴과 주의를 기울이는 능력에 부정적인 영향을 미친다.

1
고1 3월 응용

We begin to lose the ability to keep eye contact around 20 miles per hour. 285

→ _____

2
고1 9월

Time pressures to make these last-minute changes can be a source of stress. 287

→ _____

3
고1 9월 응용

He has no one to blame but himself for some problem. 292

→ _____

4
고1 9월 응용

Dorothy Hodgkin became the first woman to receive the Copley Medal. 289

→ _____

구문+서술형 우리말과 같도록 표현 배열하기

SAMPLE
고1 3월

분명히, 그 수업은 그것을 가르칠 교사와 그것을 들을 학생을 필요로 한다. (clearly, / to take it / a teacher / the class requires / to teach it / and students) 288

→ Clearly, the class requires a teacher to teach it and students to take it.

5
고1 6월

모든 사람은 행복을 느끼는 무언가를 가지고 있다.
(has / everyone / to be happy about / something) 291

→ _____

6
고1 6월

그것은 그가 평생 해 온 일을 마무리하는 방식으로는 바람직하지 않았다.
(to end his lifelong career / was / it / an unfortunate way) 284

→ _____

7
고1 6월

이해해야 할 것도 없을 것이고 과학을 해야 할 이유도 없을 것이다. (there would be / no reason for science / to figure out / nothing / and there would be) 294

→ _____

8
고1 3월 응용

일어나서 당신을 계속 응원할 사람이 아무도 없다.
(no one / and cheer you on / there is / to stand up) 293

→ _____

구조+해석 to부정사(구)와 수식 대상 표시하고 해석하기

SAMPLE
고1 6월 응용

This / has / a much lower tendency 〈to cause someone to challenge it〉.
  └ to부정사구

→ 이것은 누군가가 그것에 이의를 제기하도록 하는 경향을 훨씬 더 낮춘다.

1
고1 3월 응용

We need to do something to help people.

→ _____

2
고1 6월

Human beings are driven by a natural desire to form and maintain interpersonal relationships.

→ _____

3
고1 6월 응용

This will give your body the opportunity to fill up on better options.

→ _____

4
고1 3월

The slave searched for herbs to cure the lion's wound and took care of the lion.

→ _____

구문+서술형 to부정사와 표현 활용하여 영작하기

SAMPLE
고1 6월

대개 우리는 집중하는 데 매우 제한된 능력을 가지고 있다.
(to a large extent, limited ability, focus)

→ To a large extent we have a very limited ability to focus.

5
고1 3월 응용

식품 라벨은 식품에 관한 정보를 알아내는 좋은 방법이다.
(food labels, way, find, information)

→ _____

6
고1 3월 응용

이동하며 다니는 그의 삶은 훌륭한 남편과 아버지가 되는 능력과 상충했다.
(on the road, conflict with, his ability, be, quality, husband, dad)   quality 훌륭한

→ _____

7
고1 3월 응용

소문나게 하는 한 가지 방법은 광고 교환을 통해서이다.
(way, get the word out, through, an advertising exchange)

→ _____

8
고1 3월 응용

당신은 그것들을 시작하게 하는 동기 부여 요인을 갖게 될 것이다.
(a motivator, get going on, those things)   get going 시작하다

→ _____

구조+해석 분사(구)와 수식 대상 표시하고 해석하기

본책 문장 LINK

SAMPLE
고1 9월

He / was / a responsible man 〈dealing with an irresponsible kid〉.
└─ 현재분사구

296

→ 그는 무책임한 아이를 다루는 책임감 있는 사람이었다.

1
고1 6월

The square was empty except for a black cat staring at me with a scary, sharp look.

297

→ _____

2
고1 6월 응용

The repeated experience brings back the initial emotions caused by the book.

307

→ _____

3
고1 9월 응용

Individuals should make written notes on the positive comments about their own personal contributions.

304

→ _____

4
고1 3월

For a chance to win science goodies, just submit a selfie of yourself enjoying science outside of school!

300

→ _____

구문+서술형 우리말과 같도록 표현 배열하기

SAMPLE
고1 3월 응용

그것은 St. Benno and the Frog라고 불리는 이야기를 기반으로 한다.
(a story / it is based on / St. Benno and the Frog / called)

305

→ It is based on a story called St. Benno and the Frog.

5
고1 3월 응용

우리는 우리 앞에 놓인 더 큰 보상을 성취하기 위해 대가를 지불해야 한다. (lying ahead of us / we / the price / must pay / for achieving the greater rewards)

298

→ _____

6
고1 3월

이것은 걸음마를 배우는 아기들 사이의 끊임없는 싸움으로 문제를 겪고 있는 부모들의 일상적인 경험이다. (the daily experience / is / of parents / this / between toddlers / troubled by constant quarreling)

306

→ _____

7
고1 6월 응용

책을 다시 읽는 것은 그 책에 대한 새로워진 이해를 가져다준다.
(of the book / brings / rereading / renewed / understanding)

303

→ _____

8
고1 3월

그는 길을 걸어가고 있는 소녀를 가리켰다.
(a girl / pointed at / he / walking up the street)

295

→ _____

구조+해석 분사(구)와 수식 대상 표시하고 해석하기

SAMPLE
고1 3월 응용

Many of the manufactured products 〈made today〉 contain / so many chemicals
and artificial ingredients.
과거분사   과거분사구

→ 오늘날 만들어진 제조 상품 중 다수가 너무 많은 화학물질과 인공적인 재료를 함유하고 있다.

1
고1 3월 응용

We see lots of casualties worldwide, resulting from the lack of education.

casualty 피해자

→ _____

2
고1 3월 응용

A teacher received a letter from a student, asking fourteen unrelated questions
on a variety of subjects.

→ _____

3
고1 3월

The researchers assigned the boys to teams made up of members of both groups.

→ _____

4
고1 3월 응용

A god called Moinee was defeated by a rival god called Dromerdeener.

→ _____

구문+서술형 표현 활용하여 영작하기

SAMPLE
고1 6월

고장 난 보일러를 고치기 위해 애쓰는 한 남자와 관련된 매우 오래된 이야기가 있다.
(involving, a man, try, fix, break, boiler)

→ There is a very old story involving a man trying to fix his broken boiler.

5
고1 3월 응용

전 세계에서 중국어가 가장 많이 사용되는 언어이다.
(Chinese, the most, speak, language, worldwide)

→ _____

6
고1 3월

자연계는 예술과 문학에서 사용되는 상징의 풍부한 원천을 제공한다.
(the natural world, provide, a rich source of symbols, use, literature)

→ _____

7
고1 6월

물고기는 주변 물에서 모은 산소로 자신의 부레를 채운다.
(fill, bladder, oxygen, collect from, the surrounding water)

bladder 부레

→ _____

8
고1 9월 응용

한 연구에 참여하고 있는 34마리의 침팬지와 오랑우탄이 각각 한 마리씩 방에서 실험의 대상이 되었다.
(chimpanzee, orangutan, participate, study, each individually, test)

→ _____

ANSWERS p.21

구조+해석 to부정사(구)와 의미 표시하고 해석하기 본책 문장 LINK

SAMPLE
고1 9월 응용

In order to grow, / fingernails / need / glucose. `313`
　　to부정사구(목적)

→ 자라기 위해서 손톱은 글루코오스가 필요하다.

1
고1 6월

You don't need complex sentences to express ideas. `308`

→ _____

2
고1 9월 응용

He will be foolish to stick to his old vision in the face of new data. `314`

→ _____

3
고1 6월

To rise, a fish must reduce its overall density, and most fish do this with
a swim bladder. `311`

→ _____

4
고1 3월 응용

Toby Long turned around to find an Ethiopian boy standing behind him. `319`

→ _____

구문+서술형 우리말과 같도록 표현 배열하기

SAMPLE
고1 3월 응용

그는 그들 각각에게 100달러짜리 수표를 보내게 되어 기뻤다. `315`
(he / each of them / to send / a check for a hundred dollars / was / happy)

→ He was happy to send each of them a check for a hundred dollars.

5
고1 3월 응용

소비자들은 대개 위험을 줄이기 위해 많은 전략을 사용하도록 동기 부여를 받는다. (usually
motivated / to reduce risk / to use a lot of strategies / consumers / are) `310`

→ _____

6
고1 3월 응용

그들은 그들의 사회 내 자신들의 위치를 반영하기 위해 그들의 이름을 바꾼다. (change /
they / their position within their society / to reflect / their names) `312`

→ _____

7
고1 6월

학교에서 유일한 전학생으로서 그녀는 실험실 파트너를 갖게 되어 기뻤다. (pleased /
she / as the only new kid in the school, / was / to have a lab partner) `317`

→ _____

8
고1 3월

Moinee는 별에서 Tasmania로 떨어져서 죽었다. `318`
(to die / fell out of the stars / Moinee / down to Tasmania)

→ _____

구조+해석 to부정사(구)와 의미 표시하고 해석하기

SAMPLE
고1 3월

About four billion years ago, / molecules / joined together / to form cells.
<u>to부정사구(결과)</u>

→ 약 40억 년 전에, 분자는 서로 결합하여 세포를 형성했다.

1
고1 3월

Short press to confirm; long press to enter the sports mode.

→ _____

2
고1 3월응용

We are thrilled to welcome you to the Grand Opening of the Raleigh store.

→ _____

3
고1 3월

She picked up the pot's lid and covered the pot with it to put out the flames.

→ _____

4
고1 6월응용

Cable providers and advertisers will eventually be forced to provide incentives in order to encourage consumers to watch their messages.   incentive 유인책

→ _____

구문+서술형 to부정사와 표현 활용하여 영작하기

SAMPLE
고1 6월

참여하려면, 학생들은 디자인 프로젝트들에 관한 사전 경험이 반드시 필요하다.
(participate, require, previous experience, design project)

→ To participate, students are required to have previous experience in design projects.

5
고1 3월

운동하는 동안 편안함을 제공하기 위해 의류가 비쌀 필요는 없다.
(clothing, have to, expensive, provide, comfort, exercise)

→ _____

6
고1 3월

약 20억 년 후에, 세포들이 결합하여 더 복합적인 세포들을 형성했다.
(billion, cell, join togther, form, complex)

→ _____

7
고1 3월응용

우리는 어떤 결정을 하기 위해서 그 모든 것을 고려해야 한다.
(have to, consider, all of it, in order, make a decision)

→ _____

8
고1 6월

Milton Dance Studio는 여름 동안 아이들에게 춤을 배울 기회를 제공하게 되어 기쁩니다.
(pleased, offer, your kids, the opportunity, learn dancing)

→ _____

ANSWERS ↓ p.21

구조+해석 to부정사(구)와 수식 대상 표시하고 해석하기

본책 문장 LINK

SAMPLE
고1 9월 응용

Studying history / can make / you / more knowledgeable or interesting 〈to talk to〉. `324`
 ╰ to부정사구(형용사구 수식)
→ 역사를 공부하는 것은 당신을 함께 말하기에 더 유식하거나 재미있는 사람으로 만들어 줄 수 있다.

1
고1 6월 응용

Joshua trees are hard to eat by today's standards. `320`

→ _____

2
고1 6월 응용

These microplastics are very difficult to measure. `322`

→ _____

3
고1 3월

To be a bit more specific, the normal robot shows deterministic behaviors. `328`

→ _____

구문+서술형 우리말과 같도록 표현 배열하기

SAMPLE
고1 9월 응용

뒤뜰의 잔디는 깎기에 너무 길었다. `326`
(to mow / the backyard grass / was / too high)
→ The backyard grass was too high to mow.

4
고1 3월

하나의 결정은 무시하기 쉽다. `321`
(easy / a single decision / is / to ignore)

→ _____

5
고1 6월

Amy는 너무 놀라서 고개를 끄덕이는 것 외에 어떤 것도 할 수 없었다. `325`
(Amy / to do anything but nod / was / too surprised)

→ _____

6
고1 9월 응용

그 시기의 과식은 생존을 보장하는 데 필수적이었다. `323`
(overeating in those times / to ensure survival / was / essential)

→ _____

7
고1 6월 응용

Birdseye의 호기심은 사물을 보는 일상적인 관점에서 그를 벗어나게 할 만큼 충분히 강했다. (was / Birdseye's curiosity / strong / to lift him / of seeing things / enough / out of the routine way) `327`

→ _____

구조+해석 to부정사(구)와 수식 대상 표시하고 해석하기

SAMPLE
고1 9월

Most garment workers / are paid / barely enough ⟨to survive⟩.
부사+enough+to부정사

garment 의복, 옷
barely 간신히

→ 대부분의 의류 작업자들은 간신히 생존할 정도의 임금을 받는다.

1
고1 9월 응용

The price is still too expensive to be paid all at once.

→ _____

2
고1 9월 응용

By choosing to overcome challenges, he was ready to make the leap.

→ _____

3
고1 3월 응용

Americans seem particularly easy to meet.

→ _____

구문+서술형 표현 활용하여 영작하기

SAMPLE
고1 6월 응용

당신은 의자 없이도 스케이트를 탈 준비가 되어 있다.
(ready, try, skate, the chair)

→ You are ready to try to skate without the chair.

4
고1 6월 응용

그것들은 그물망을 통과할 만큼 충분히 작다.
(small, pass through, nets)

→ _____

5
고1 6월 응용

그러한 프로젝트를 진행하기에 귀사가 이상적입니다.
(your firm, ideal, carry out, such, a project)

ideal 이상적인

→ _____

6
고1 6월

나이 많은 어느 목수가 은퇴를 앞두고 있었다.
(elderly, carpenter, ready, retire)

retire 은퇴하다

→ _____

7
고1 9월 응용

오늘날 세계 인구 대부분은 생존과 번영을 하기에 이용 가능한 많은 식량을 가지고 있다.
(most, world's population, plenty of, food, available, survive, thrive)

thrive 번영하다

→ _____

구조+해석 분사구문 표시하고 해석하기

본책 문장 LINK

SAMPLE
고1 3월

〈Seeing this〉, everyone / was / surprised. 333
분사구문(시간)
→ 이것을 보고 나서, 모든 사람이 놀랐다.

1
고1 6월 응용

Your feet can actually be different sizes at different times of the day, 332
getting larger and returning to "normal" by the next morning.

→ _____

2
고1 3월

Faced with the choice of walking down an empty or a lively street, most 338
people would choose the street with life and activity.

→ _____

3
고1 9월

After having spent that night in airline seats, the company's leaders came 340
up with some "radical innovations."

→ _____

4
고1 3월

Dorothy told her, sobbing and sniffing. 330

→ _____

구문+서술형 우리말과 같도록 표현 배열하기

SAMPLE
고1 3월 응용

그 동물이 수면으로 나를 들어 올리며 나를 보호해 주고 있었다. 331
(the animal / me, / was protecting / toward the surface / lifting me)
→ The animal was protecting me, lifting me toward the surface.

5
고1 9월

한 학생은 그 장애물들을 피하기로 결정하고, 끝까지 더 쉬운 길을 갔다. (chose / one 334
student / taking the easier path to the end / to avoid the obstacles,)

→ _____

6
고1 9월 응용

과학적 지식으로 무장하고 나서, 사람들은 도구와 기기를 만든다. 337
(tools and machines / armed with / people / scientific knowledge, / build)

→ _____

7
고1 3월 응용

가능한 가장 좋은 인상을 주고 싶어서, 그 미국 회사는 자사의 가장 유망한 젊은 임원을 336
보냈다. (its most promising young executive / wanting to make the best
possible impression, / sent / the American company)

→ _____

구조+해석 분사구문 표시하고 해석하기

SAMPLE
고1 3월

The thunder / rumbled again, 〈sounding much louder〉.   rumble 우르르거리는 소리를 내다
                              분사구문(동시동작)

→ 그 천둥은 더 큰소리를 내면서 다시 우르르 울렸다.

1
고1 6월 응용

You may fight back, reacting immediately.

→ _____

2
고1 6월

I walked across to a cafe and sat down at a table, putting my bag on the seat beside me.

→ _____

3
고1 9월

Still amazed by his success, he was now in the finals.

→ _____

4
고1 3월

Called "Give the Shirt Off Your Back," Toby's campaign soon collected over ten thousand T-shirts.   collect 모으다

→ _____

구문+서술형 분사구문과 표현 활용하여 영작하기

SAMPLE
고1 9월 응용

그녀는 땀을 흘리면서 공허한 천둥소리를 들으면서 그곳에 누웠다.
(sweat, listen to, empty, thunder)

→ She lay there, sweating, listening to the empty thunder .

5
고1 3월

우리는 그녀에게로 갔고, 나는 창문을 내리고 그녀에게 소리쳤다.
(yell out)

→ We drove up to her and I rolled down the window _____ .

6
고1 9월 응용

문제에 직면했을 때, 우리는 본능적으로 해결책을 찾으려고 한다.
(when, face with, a problem)   instinctively 본능적으로

→ _____, we instinctively seek to find a solution.

7
고1 6월 응용

대부분의 어른들은 새 신발을 살 때 그들의 발을 측정하지 않는다.
(when, buy, shoes)

→ Most adults don't measure their feet _____ .

옳은 문장에 ✓

1

고1 6월 응용

a We've sent a reply card for you complete.

b We've sent a reply card for you to complete.

complete 작성하다

2

고1 3월

a One such emergency involved a leak in the pipe supplying water to the camp.

b One such emergency involved a leak in the pipe supplied water to the camp.

3

고1 3월 응용

a Those bearing in the United States tend to be high disclosers.

b Those born in the United States tend to be high disclosers.

4

고1 6월 응용

a Kevin gave him enough money getting a warm meal.

b Kevin gave him enough money to get a warm meal.

5

고1 9월 응용

a Someone must see something in order to know it.

b Someone must see something in order know it.

6

고1 6월

a Kevin was in front of the mall wiping off his car.

b Kevin was in front of the mall wiped off his car.

7

고1 3월 응용

a The material presented by the storytellers has much more interest.

b The material presenting by the storytellers has much more interest.

8

고1 9월

a Surprised himself, the boy easily won his first two matches.

b Surprising himself, the boy easily won his first two matches.

UNIT 7 절의 주어, 목적어, 보어 역할

핵심 개념 확인

		TRUE	FALSE
1	명사절 주어 뒤에는 복수 동사를 쓴다.	☐	☐
2	명사절 주어 대신 가주어 it을 문장 앞에 쓸 수 있다.	☐	☐
3	관계대명사 what이 이끄는 절은 문장의 주어, 목적어, 보어 역할을 할 수 있다.	☐	☐
4	의문사가 이끄는 명사절은 「의문사+(S+)V ~」 형태이다.	☐	☐
5	접속사 that이 이끄는 명사절은 불완전한 구조이다.	☐	☐
6	접속사 that이 이끄는 명사절이 보어 역할을 할 때 that은 생략할 수 있다.	☐	☐
7	접속사 if가 이끄는 명사절은 「if or not+S+V ~」 형태로 쓸 수 있다.	☐	☐
8	의문사가 이끄는 명사절은 be동사 뒤에 주격보어로 쓸 수 있다.	☐	☐

구조+해석 주어 역할을 하는 명사절 표시하고 해석하기

본책 문장 LINK

SAMPLE
고1 9월

[What you have done there] is / to create a form of electricity / called static
S(What절)
electricity.

344

→ 당신이 거기서 한 것은 정전기라고 불리는 전기의 한 형태를 만든 것이다.

1
고1 9월 응용

How a person approaches the day impacts everything else in that person's
life.

348

→ _____

2
고1 3월 응용

What kept all of these people going was their passion for their subject.

346

→ _____

3
고1 6월 응용

Whether I liked living in a messy room or not was another subject.

342

→ _____

구문+서술형 우리말과 같도록 표현 배열하기

SAMPLE
고1 6월

당신이 물려받았고 지금 더불어 살아가고 있는 것이 미래 세대의 유산이 될 것이다.
(you / will become / and live with / the inheritance of future generations /
what / inherited)

345

→ What you inherited and live with will become the inheritance of future generations.

4
고1 9월 응용

그들이 가장 성가신 것으로 여기는 것은 시간이다.
(what / is / they find / time / most bothersome)

343

→ _____

5
고1 9월 응용

어떻게 시각적인 입력 정보가 맛과 냄새에 우선할 수 있는가는 아마 놀라울 것이다.
(taste and smell / how / visual input / is perhaps surprising / can override)

347

→ _____

6
고1 3월 응용

당신이 동시에 여러 가지 일을 할 수 있다는 것이 사실일지도 모른다.
(may be / at once / you can multitask / true / that)

341

→ _____

구조+해석　주어 역할을 하는 명사절 표시하고 해석하기

SAMPLE
고1 6월 응용

[How we invest time] is not / our decision alone to make.
　　S(의문사절)

invest 투자하다

→ 시간을 어떻게 투자할지는 우리가 단독으로 내릴 결정이 아니다.

1
고1 9월 응용

It's possible that they will absorb the wrong lesson.

absorb 받아들이다

→ _____

2
고1 6월

What this example teaches us is: English is no longer just "one language."

→ _____

3
고1 6월

What they saw as a thirst for killing was really determination.

determination 결의

→ _____

구문+서술형　표현 활용하여 영작하기

SAMPLE
고1 6월 응용

당신은 당신의 친구들을 위해서 특별한 노력을 기울일 것 같다.
(it, likely, would, go out of one's way)

→ It's likely that you'd go out of your way for your friends.

4
고1 6월

당신과 당신의 배우자가 필요로 하는 것은 대화를 나눌 수 있는 양질의 시간이다.
(spouse, need, quality time, talk)

spouse 배우자

→ _____

5
고1 6월

내 아들의 팀 동료에게 도움이 필요하다는 것은 명백했다.
(it, obvious, teammate, need, help)

obvious 명백한

→ _____

6
고1 9월 응용

오늘날 다른 것은 이 상호작용들의 속도와 범위이다.
(today, speed, scope, interaction)

scope 범위
interaction 상호작용

→ _____

구조+해석 목적어 역할을 하는 명사절 표시하고 해석하기 본책 문장 LINK

SAMPLE
고1 3월응용

We / believe [that the quality of the decision is directly related to the time]. `351`
　　　　　　　　　　O(that절)

→ 우리는 결정의 질은 시간과 직접적인 관계가 있다고 믿는다.

1
고1 9월

I believe the second decade of this new century is already very different. `355`

→ _____

2
고1 3월응용

After more thought, he made what many considered an unbelievable decision. `358`

→ _____

3
고1 3월응용

Many people think of what might happen in the future based on past failures. `356`

→ _____

구문+서술형 우리말과 같도록 표현 배열하기

SAMPLE
고1 3월응용

당신이 생각하는 것을 나에게 절대로 말하지 말아라.
(you think / what / me / don't ever tell) `360`

→ Don't ever tell me what you think.

4
고1 3월

삶에서, 어떤 것이든 과도하면 당신에게 이롭지 않다고 한다.
(too much of anything / in life, / that / is not / good for you / they say) `352`

→ _____

5
고1 6월응용

많은 요인들이 우리가 해야 할 것을 결정한다.
(what / determine / many factors / we should do) `357`

→ _____

6
고1 3월응용

학생들은 당신이 그들에 대해 신경 쓴다는 것을 틀림없이 알 것이다.
(must know / the students / care about / you / that / them) `349`

→ _____

7
고1 3월응용

그냥 서로에게서 배울 수 있는 것을 생각해 보아라.
(you can learn / what / just think of / from each other) `359`

→ _____

구조+해석 목적어 역할을 하는 명사절 표시하고 해석하기

SAMPLE
고1 3월 응용

They / argue [that many teenagers can study productively under less-than-ideal
conditions].   O(that절)

→ 그들은 많은 십 대들이 전혀 이상적이지 않은 상황에서 생산적으로 공부할 수 있다고 주장한다.

1
고1 6월 응용

I realized something strange was happening.

→ _____

2
고1 3월 응용

In some cases they even taught themselves what they knew about their particular
subject.   teach oneself 독학하다
                                                          particular 특정한

→ _____

3
고1 9월 응용

This tendency means that the true potential of new technologies may remain
unrealized.   tendency 경향

→ _____

구문+서술형 표현 활용하여 영작하기

SAMPLE
고1 3월 응용

나는 내가 안전하다는 것을 알았다.
(know, safe)

→ I knew I was safe.

4
고1 3월 응용

나는 우리가 변화를 가져올 수 있다고 생각한다.
(think, make a difference)

→ _____

5
고1 3월 응용

그 사람이 해 온 것에 초점을 두어라.
(focus on, what, person, do)

→ _____

6
고1 9월 응용

비현실적인 낙관론자들은 우주가 그들에게 그들의 긍정적인 사고에 대해 보상할 것이라고 믿는다.
(unrealistic, optimist, believe, the universe, reward ~ for, positive thinking)

→ _____

7
고1 9월 응용

네 살 미만의 어린이들은 모든 사람이 그들이 알고 있는 것을 안다고 생각한다.
(under the age of four, think, everyone, know, what)

→ _____

ANSWERS p.25

구조+해석 목적어 역할을 하는 명사절 표시하고 해석하기   본책 문장 LINK

SAMPLE
고1 3월 응용

I / wonder [if that little boy will get one of the ten thousand shirts].   364
O(if절)

→ 나는 그 어린 소년이 만 장의 셔츠 중 하나를 받을지 궁금하다.

1
고1 9월

This theory could explain in part why time feels slower for children.   366

→ _____

2
고1 6월 응용

In one study, researchers looked at how people respond to life challenges.   365

→ _____

3
고1 3월 응용

Audience feedback often indicates whether listeners understand the speaker's ideas.   361

→ _____

구문+서술형 우리말과 같도록 표현 배열하기

SAMPLE
고1 3월 응용

누군가는 언제 그 수업이 열릴지를 결정해야 했다.   367
(the class / someone / when / would be held / had to decide)

→ Someone had to decide when the class would be held.

4
고1 9월 응용

그는 그것들이 무슨 종류의 곤충들인지 물어보았다.   371
(what kind of / asked / he / they were / insects)

→ _____

5
고1 9월 응용

유인원들은 사람들이 현실에 대해 잘못된 신념을 가지고 있는지 아닌지를 구분할 수 있다.   362
(can distinguish / great apes / have a false belief / whether or not / people / about reality)

→ _____

6
고1 3월 응용

나는 그녀가 그 항공사에 근무하는지를 물어보았다.   363
(if / I / she worked / asked / with the airline)

→ _____

7
고1 6월 응용

나이테는 우리에게 그 나무가 몇 살인지, 그리고 날씨가 어떠했었는지를 알려줄 수 있다.   369
(the tree is, / tree rings / what / can tell us / the weather was like / and / how old)

→ _____

구조+해석　목적어 역할을 하는 명사절 표시하고 해석하기

SAMPLE
고1 9월 응용

You / might notice [whether the infielder is playing in or back].　　infielder 내야수
　　　　　　　　　　O(whether절)

→ 당신은 내야수가 안쪽 혹은 뒤쪽에서 경기를 하고 있는지를 알아차릴지도 모른다.

1
고1 3월 응용

I asked if she had ever done that.

→ _____

2
고1 9월 응용

In this checkup, they told participants about a fictional disease, and asked whether the participants would like to be tested for it.　　checkup (건강) 검진 fictional 꾸며낸

→ _____

3
고1 6월 응용

The boss asked if he could build just one more house as a personal favor.
　　　　　　　　　　　　　　　　　　　　　　　　favor 호의, 부탁

→ _____

구문+서술형　의문사와 표현 활용하여 영작하기

SAMPLE
고1 3월 응용

당신은 자신에게 어떤 대단한 일들이 일어날지 결코 알지 못한다.
(never, know, great thing, happen)

→ You never know what great things will happen to you.

4
고1 9월 응용

그는 자신의 발이 어디에 있는지 안다.
(know, feet, be)

→ _____

5
고1 3월 응용

한 현장 연구는 30세에서 36세 사이의 다섯 명의 친구들이 어떻게 의사소통하는지에 초점을 두었다.
(field study, focus on, between the ages of 30-36, communicate)

→ _____

6
고1 3월 응용

이것은 왜 미국인들이 칵테일 파티에서의 대화에 능숙한지를 설명할 수도 있다.
(may, explain, Americans, be good at, cocktail-party conversation)

→ _____

7
고1 6월 응용

그 사람은 당신이 어떤 별을 보고 있는지를 정확하게 알기 어려울 것이다.
(that person, have a hard time, know, exactly, star, look at)

→ _____

ANSWERS p.26

구조+해석 전치사의 목적어 또는 보어 역할을 하는 명사절 표시하고 해석하기

본책 문장 LINK

SAMPLE
고1 6월 응용

Aristotle's suggestion / is [that virtue is the midpoint].
C(that절)

377

→ 아리스토텔레스의 의견은 미덕이 중간 지점에 있다는 것이다.

1
고1 6월 응용

Probably few of them had thoughts about how this custom might relate to other fields.

374

→ _____

2
고1 6월 응용

An important question is whether emoticons help Internet users to understand emotions in online communication.

378

→ _____

3
고1 3월 응용

You may not care about whether you start your new job in June or July.

375

→ _____

구문+서술형 우리말과 같도록 표현 배열하기

SAMPLE
고1 3월

당신의 결정을 과거가 어땠는지에 근거하지 마라.
(your decision / what / do not base / on / yesterday was)

373

→ Do not base your decision on what yesterday was.

4
고1 3월

그것이 Newton과 여타 과학자들을 매우 유명하게 만든 것이다.
(Newton and the others / that is / made / what / so famous)

376

→ _____

5
고1 6월

'near'과 'far' 같은 단어들은 당신이 어디에 있는지와 무엇을 하는지에 따라 여러 가지를 의미할 수 있다.
(where you are / different things / depending on / words like 'near' and 'far' / and what you are doing / can mean)

372

→ _____
_____

구조+해석 전치사의 목적어 또는 보어 역할을 하는 명사절 표시하고 해석하기

SAMPLE
고1 6월 응용

Regardless of [how badly their day went], / successful people / typically avoid / that
전치사의 목적어(의문사절)
trap of negative self-talk.   regardless of ~와 관계없이

→ 그 날 하루가 얼마나 힘들었는지 관계없이, 성공적인 사람들은 대개 부정적인 자기 대화의 덫을 피한다.

1
고1 6월 응용

The only evidence is that "76% of 50 women agreed."

→ _____

2
고1 6월 응용

Very old trees can offer clues about what the climate was like.   climate 기후

→ _____

3
고1 9월 응용

The interesting question is whether it is deliberately not collected.
deliberately 고의적으로

→ _____

구문+서술형 표현 활용하여 영작하기

SAMPLE
고1 3월

그것이 우리가 자녀들에게 말하는 것인데, 즉 "서두르면 일을 망친다."이다.
(that, tell, our children, haste, make, waste)

→ That's what we tell our children: "Haste makes waste."

4
고1 3월

Sophie는 Angela가 무엇을 원하는지에 대해 전혀 모르고 있다.
(clueless, about, want)   clueless 전혀 모르는

→ _____

5
고1 9월 응용

그 이론은 청자의 미소와 끄덕임이 흥미와 동의를 나타낸다는 것이다.
(theory, smiles and nods, listener, signal, interest, agreement)   signal 나타내다

→ _____

6
고1 9월 응용

그는 어떤 종류의 설명들이 만족스러운 것으로 여겨질 수 있는가에 대한 생각을 전했다.
(pass on, an idea of, explanation, could, consider, satisfactory)

→ _____

1
고1 6월

a He saw what flies seemed to avoid landing on the stripes.

b He saw that flies seemed to avoid landing on the stripes.

2
고1 3월

a Can you guess how hot the fire at the center of the sun is?

b Can you guess how the fire at the center of the sun is hot?

3
고1 9월 응용

a It is important that scientists do not avoid this process.

b That is important that scientists do not avoid this process.

4
고1 9월

a What this tells us are that words matter.

b What this tells us is that words matter.

5
고1 9월 응용

a People have questions about how food is produced.

b People have questions how about food is produced.

6
고1 9월 응용

a Kids don't always understand why their parents make certain rules.

b Kids don't always understand what their parents make certain rules.

7
고1 3월 응용

a The student expressed no thanks for what the teacher had written.

b The student expressed no thanks for that the teacher had written.

8
고1 6월 응용

a The problem is that has it a harmful impact on the creative process.   impact 영향

b The problem is that it has a harmful impact on the creative process.

절의 수식어 역할

핵심 개념 **확인**

		TRUE	FALSE
1	주격 관계대명사절의 동사는 선행사의 수에 일치시킨다.	☐	☐
2	소유격 관계대명사 whose는 선행사가 사람이나 사물일 때 모두 가능하다.	☐	☐
3	목적격 관계대명사가 이끄는 절은 완전한 구조의 절이다.	☐	☐
4	목적격 관계대명사가 절 안에서 전치사의 목적어 역할을 할 때, 전치사는 관계대명사 바로 뒤에 온다.	☐	☐
5	선행사가 장소를 나타낼 때, 관계부사는 where를 쓴다.	☐	☐
6	선행사가 방법을 나타내는 the way일 때, 뒤에 관계부사 how를 생략할 수 없다.	☐	☐
7	관계대명사 that이 이끄는 관계대명사절은 콤마(,) 뒤에 쓰여 선행사를 보충 설명할 수 있다.	☐	☐
8	시간이나 조건의 부사절에서 현재시제는 미래를 의미한다.	☐	☐

구조+해석 수식절과 수식 대상 표시하고 해석하기   본책 문장 LINK

SAMPLE
고1 3월 응용

Many people / face / barriers [that prevent such choices].   384
　　　　　　　O　　　↳ 관계대명사절(that+V ~)

→ 많은 사람들은 그러한 선택들을 가로막는 장벽들에 부딪힌다.

1
고1 3월 응용

There are a few things about dams that are important to know.   382

→ _____

2
고1 3월 응용

These are fantastic behaviors that teach brilliant self-confidence.   383

→ _____

3
고1 9월

Someone who is only clinically dead can often be brought back to life.   380

→ _____

4
고1 9월 응용

Doctors can revive many patients whose hearts have stopped beating by various techniques.   386

→ _____

구문+서술형 우리말과 같도록 표현 배열하기

SAMPLE
고1 3월 응용

운동에 적절한 의류는 당신의 운동 경험을 향상시킬 수 있다. (exercise / clothing / your exercise experience / that is appropriate for / can improve)   381

→ Clothing that is appropriate for exercise can improve your exercise experience.

5
고1 3월

결코 위험을 무릅쓰지 못하는 사람은 아무것도 배울 수 없다.
(can't learn / who can never take a risk / a person / anything)   379

→ _____

6
고1 6월 응용

Leopard shark는 인간에게 위협으로 여겨지지 않는 상어들 중 하나이다.
(as a threat to humans / which are not considered / the leopard sharks / are among the sharks)   385

→ _____

7
고1 6월 응용

그는 그의 연구가 경영사 연구에 집중되어 있는 경제 사학자였다.
(has centered / whose work / he was an economic historian / on the study of business history)   388

→ _____

기출 문장 + 구문 훈련

구조+해석 수식절과 수식 대상 표시하고 해석하기

SAMPLE
고1 3월 응용

A company 〈selling beauty products〉 could place / its banner /on a site [that sells
women's shoes].
전치사의 목적어 ↖ 관계대명사절
(that+V ~)

→ 미용 제품을 판매하는 회사는 여성 신발을 판매하는 사이트에 자신의 배너를 게시할 수 있다.

1
고1 6월 응용

The good philosopher is one who is able to create the best arguments.
argument 논증

→ _____

2
고1 6월 응용

They viewed emotion-neutral faces that were randomly changed on a screen.
neutral 중립적인

→ _____

3
고1 3월 응용

Someone who is lonely might benefit from helping others.
benefit from ~로부터 혜택을 받다

→ _____

4
고1 9월

She was working for "The Hunger Project" whose goal was to bring an end to hunger
around the world.
bring an end to ~을 끝내다

→ _____

구문+서술형 관계대명사와 표현 활용하여 영작하기

SAMPLE
고1 3월 응용

촉감에 대한 높은 욕구를 가진 소비자는 이런 기회를 제공하는 제품을 좋아하는 경향이 있다.
(a high need for touch, provide, this opportunity)

→ Consumers who have a high need for touch tend to like products that provide this opportunity .

5
고1 3월 응용

당신을 보살펴 주는 어른과의 정을 떼는 것은 아마도 성장의 필수적인 부분일 것이다.
(the adults, look after)

→ Falling out of love with _____ is probably
a necessary part of growing up.

6
고1 3월

우리는 재고로 있는 품목들을 더 큰 소매상에서 더 싼 가격으로 취급한다.
(carry, items, in stock)

→ _____ at bigger retailers for a cheaper price.

7
고1 6월

이것은 부모가 책을 읽는 학생들에게는 덜 적용된다.
(parents, make, them, read books)
be true of ~에 적용되다

→ This is less true of some students _____ .

ANSWERS p.28

구조+해석 수식절과 수식 대상 표시하고 해석하기 본책 문장 LINK

SAMPLE
고1 3월응용

Ads / will cover up / negative aspects / of the company [they advertise]. 398
전치사의 목적어 ⌐ 관계대명사절(which[that] 생략)

→ 광고는 그들이 광고하는 회사의 부정적인 측면을 숨길 것이다.

1 고1 3월응용

I'm the only father my children have. 395

→ _____

2 고1 3월

The teacher wrote back a long reply in which he dealt with thirteen of the questions. 400

→ _____

3 고1 6월응용

The biggest mistake that most investors make is getting into a panic over losses. 389

→ _____

4 고1 9월응용

Some participants stood next to close friends whom they had known a long time during the exercise. 392

→ _____

구문+서술형 우리말과 같도록 표현 배열하기

SAMPLE
고1 6월응용

그가 받은 그 칭찬은 그의 일생을 바꾸어 놓았다. 390
(his whole life / the praise / changed / that he received)

→ The praise that he received changed his whole life.

5 고1 3월응용

무리를 지은 개미는 한 마리의 개미가 전혀 할 수 없는 일을 할 수 있다. 391
(can do / ants in groups / that no single ant / can do / things)

→ _____

6 고1 9월응용

소년이 울타리에 박은 못의 수는 점점 줄어들었다. 397
(the boy / gradually decreased / drove into the fence / the number of nails)

→ _____

7 고1 3월응용

당신의 수업 참여를 좌우하는 모든 사람들을 생각해 보라. (all the people / depends / just think of / your participation in your class / upon whom) 399

→ _____

구조+해석 수식절과 수식 대상 표시하고 해석하기

SAMPLE
고1 6월

Keeping a diary / of things [that they appreciate] reminds / them / of the progress
전치사의 목적어   관계대명사절(that+S+V)   전치사의 목적어
[they made that day] in any aspect of their lives.
관계대명사절(that[which] 생략)
→ 감사하는 일들에 대해 일기를 쓰는 것은 삶의 어떠한 측면에서든 그들이 그날 이룬 발전을 떠올리게 한다.

1
고1 6월

An old man whom society would consider a beggar was coming toward him from across the parking lot.
beggar 걸인

→ _____

2
고1 3월 응용

Take out a piece of paper and record everything you'd love to do someday.
would love to ~하고 싶다

→ _____

3
고1 3월 응용

In negotiation, there often will be issues that you do not care about.
negotiation 협상

→ _____

4
고1 9월 응용

Subjects played a computerized driving game in which the player must avoid crashing into a wall.
subject 피실험자

→ _____

구문+서술형 조건에 맞게 표현 활용하여 영작하기

SAMPLE
고1 3월 응용

| 조건 | 관계대명사를 포함할 것 / (give, something, value)
이제 당신은 그녀에게 그녀가 소중하게 생각하는 무언가를 제공할 입장에 있다.
→ **Now you are in a position to** give her something that [which] she values .

5
고1 6월

| 조건 | 관계대명사를 생략할 것 / (increase, the satisfaction, feel, our lives)
우리들은 기대감을 통제함으로써 우리가 삶에서 느끼는 만족감을 향상시킬 수 있다.
→ _____ **by controlling our expectations.**

6
고1 9월 응용

| 조건 | 수동태와 관계대명사를 포함할 것 / (the accent, identify as, British, develop)
우리가 영국 억양이라고 인식하는 그 억양은 하층 계급의 사람들에 의해 발생하였다.
→ _____ **by people of low birth rank.**

7
고1 3월 응용

| 조건 | 「전치사+관계대명사」를 포함할 것 / (the few people, they, very close)
일본인들은 자신과 매우 친한 소수의 사람들을 제외하고는 타인에게 자신에 관해 거의 공개하지 않는 경향이 있다.
disclose 공개하다
→ **Japanese tend to do little disclosing about themselves to others except to**
_____.

ANSWERS p.29

구조+해석 수식절과 수식 대상 표시하고 해석하기   본책 문장 LINK

SAMPLE
고1 3월

In many cities, / car sharing / has made a strong impact / on [how city   413
residents travel].
관계부사절
(the way 생략)
→ 많은 도시에서, 차량 공유는 도시 주민들이 이동하는 방법에 강한 영향을 끼쳤다.

1
고1 9월 응용

There have been numerous times when food has been rather scarce.   406

→ _____

2
고1 3월

The reason it looks that way is that the sun is on fire.   414

→ _____

3
고1 3월 응용

We are looking for a diversified team where members complement one   405
another.

→ _____

4
고1 6월

There is an entire body of research about the way "product placement"   411
in stores influences your buying behavior.

→ _____

구문+서술형 우리말과 같도록 표현 배열하기

SAMPLE
고1 3월 응용

사람들이 공연하는 것을 볼 수 있는 행사는 많은 사람들을 끌어모은다.   404
(we can watch people perform / where / attract / events / many people)
→ Events where we can watch people perform attract many people.

5
고1 6월 응용

개는 자기가 가고 싶어 하는 방향으로 자기 몸의 앞부분을 내던진다. (the front part of   415
his body / a dog / he wants to go / throws / in the direction)

→ _____

6
고1 6월 응용

이것이 사람들이 여전히 좋은 영화를 보러 영화관에 가는 이유들 중 하나다. (one of the   408
reasons / for good films / people still go to cinemas / why / this is)

→ _____

7
고1 3월 응용

그 그래프는 다섯 개 국가에서 사람들이 뉴스 영상을 소비하는 방식을 보여준다. (consume /   412
how / shows / people in five countries / the graph / news videos)

→ _____

구조+해석   수식절과 수식 대상 표시하고 해석하기

SAMPLE
고1 3월 응용

They / might benefit / from being involved / in a program [where they receive help to build social network].
전치사의 목적어   관계부사절(where+S+V ~)

→ 그들은 사회적 관계망을 형성하는 데 도움을 얻게 되는 프로그램에 참여하는 것으로부터 혜택을 받을지도 모른다.

1
고1 3월 응용

It is the reason why humans can become so noncooperative on the road.
noncooperative 비협조적인

→ _____

2
고1 3월

Imagine the grocery store where you shop the most.
grocery store 식료품점

→ _____

3
고1 9월 응용

The reason kids like dinosaurs is that dinosaurs were different from anything alive today.

→ _____

4
고1 9월 응용

By learning a variety of anger management strategies, you develop flexibility in how you respond to angry feelings.
management 조절   strategy 전략   flexibility 융통성

→ _____

구문+서술형   관계부사와 표현 활용하여 영작하기

SAMPLE
고1 3월 응용

당신을 응원할 사람이 주변에 아무도 없을 때가 있을 것이다.
(times, there, no one around, to cheer you on)

→ **There will be** times when there is no one around to cheer you on .

5
고1 6월 응용

당신이 관대하다고 느낄 때가 있다.
(times, feel, generous)
generous 관대한

→ **There are** _____ .

6
고1 9월 응용

변화는 과학기술이 흔히 저항을 받는 주된 이유들 중 하나다.
(the main reasons, technology, often, resist)
resist 저항하다

→ **Change is** _____ .

7
고1 9월 응용

저널리스트들은 그들 모두가 정보의 원천과 접촉하는 중심 장소에 보고할 필요가 없다.
(a central location, all, contact, sources)

→ **Journalists do not need to report to** _____ .

구조+해석 보충 설명하는 절과 대상 표시하고 해석하기 본책 문장 LINK

SAMPLE
고1 3월응용

This / is / particularly true / of horror genres, [where audiences are kept 424
선행사(전치사의 목적어) 관계부사절(where+S+V ~)
on the edge of their seats throughout].

→ 이것은 특히 공포물 장르에 해당하는데, 이런 장르에서 관객들은 내내 이야기에 매료된다.

1
고1 9월응용

The building is surrounded by air, which applies friction to the falling 421
marble and slows it down.

→ _____

2
고1 9월응용

He joined the United States Marine Corps, where he captured scenes 423
from the Korean War.

→ _____

3
고1 6월응용

Judith Rich Harris, who is a developmental psychologist, argues that 418
three main forces shape our development.

→ _____

구문+서술형 우리말과 같도록 표현 배열하기

SAMPLE
고1 6월응용

플라스틱은 물에 떠다니는 경향이 있는데, 이것은 플라스틱이 해류를 따라 수천 마일을 돌 420
아다니게 한다. (for thousand of miles / tends to float, / in ocean currents /
plastic / which allows it to travel)

→ Plastic tends to float, which allows it to travel in ocean currents for thousands of miles.

4
고1 3월

그 경비병은 그를 그 부자에게 데리고 갔고, 그 부자는 그를 호되게 벌하기로 결심했다. 417
(severely / who decided to punish him / to the rich man, / the guard took
him)

→ _____

5
고1 3월응용

아시아로 가는 비행에서, 나는 Debbie를 만났는데, 그녀는 기장으로부터 환영을 받았다. 416
(Debbie, / on a flight to Asia, / I met / by the pilot / who was welcomed)

→ _____

6
고1 9월

그는 십 대 시절에 사진에 대한 열정을 키웠고, 그때 그는 자신의 고등학교 신문의 사 425
진 기자가 되었다. (in his teens, / when he became a staff photographer /
developed / his passion for photography / he / for his high school paper)

→ _____

구조+해석 보충 설명하는 절과 대상 표시하고 해석하기

SAMPLE
고1 3월 응용

Consider / Henrik Ibsen's play, *A Doll's House*, [where Nora leaves her family and
marriage].
선행사(O)   관계부사절(where+S+V ~)

→ Henrik Ibsen의 희곡 '인형의 집'을 생각해 보라, 그 작품에서 Nora는 가정과 결혼 생활을 떠난다.

1
고1 9월 응용

The security guard, who had worked for the company for many years, looked his
boss straight in the eyes.   straight 똑바로

→ _____

2
고1 9월 응용

Dorothy Hodgkin was born in Cairo, where her father worked in the Egyptian
Education Service.

→ _____

3
고1 3월

They went on to collaboratively discover radium, which overturned old ideas in
physics and chemistry.   go on to 나아가다 collaboratively 협업으로 overturn 뒤집다

→ _____

구문+서술형 콤마(,) 뒤 관계사와 표현 활용하여 영작하기

SAMPLE
고1 6월

선수들의 실수에 초점을 맞추는 유능하지 않은 코치들과 달리, 유능한 코치들은 선수들이 성공적인
경기를 상상하도록 격려함으로써 그들이 향상되도록 돕는다. (ineffective, focus on, mistakes)

→ Unlike ineffective coaches, who focus on players' mistakes, **effective coaches help players
improve by encouraging them to picture successful plays.**

4
고1 3월

미국보다 200억 달러 더 적게 돈을 소비한 독일은 3위를 차지했다.
(spend, 20 billion dollars, less than USA)

→ Germany, _____, took third place.

5
고1 6월

1907년에, 그는 Virginia주 Phoetus로 이사했고, 그곳에 있는 Chamberlin 호텔의 식당에서 일
했다. (work in, dining room)

→ In 1907, he moved to Phoetus, Virginia, _____ of the
Hotel Chamberlin.

6
고1 6월 응용

전국 대회에서 수차례 입상한 Virginia Smith가 그 학교의 새 수영 코치로 임명되었다.
(have won, several awards, national competitions)

→ Virginia Smith, _____, has been named
the school's new swimming coach.

구조+해석 부사절 표시하고 해석하기

본책 문장 LINK

SAMPLE
고1 6월

[As soon as the white ray hit the prism], it / separated / into the familiar
시간의 부사절(As soon as+S+V ~)
colors of the rainbow.

→ 그 백색광이 프리즘에 부딪치자마자, 친숙한 무지개색으로 분리되었다.

433

1
고1 3월

If you never take the risk of being rejected, you can never have a friend
or partner.

→ _____

435

2
고1 3월 응용

After he was orphaned, Anton Romberg took care of him.

→ _____

432

3
고1 3월 응용

The saint tells the frog to be quiet in case it disturbs his prayers.

→ _____

437

4
고1 9월 응용

You should give someone a second chance before you label them.

→ _____

431

구문+서술형 우리말과 같도록 표현 배열하기

SAMPLE
고1 3월 응용

Mary가 방에서 그 인형을 산책시키는 동안, 그녀의 시선이 책 한 권으로 향했다.
(a book / while / her eyes / fell upon / around the room, / Mary walked
the doll)

→ While Mary walked the doll around the room, her eyes fell upon a book.

427

5
고1 3월

부모가 가족에게 소중한 시간을 투자하지 않으면 가족은 강해지지 않는다. (families /
unless / invest precious time / don't grow strong / parents / in them)

→ _____

434

6
고1 6월 응용

어린 아이들은 음악과 상호 작용할 때 모든 종류의 감정을 표출한다. (let out / as /
all sorts of emotions / young children / they interact with music)

→ _____

429

7
고1 6월 응용

당신이 발표를 두려워한다면, 불안을 피하려고 애쓰는 것은 당신의 자신감을 감소시킬
것이다. (of a presentation, / will reduce / your confidence / if / trying to
avoid your anxiety / you are afraid)

→ _____

439

구조+해석 부사절 표시하고 해석하기

SAMPLE
고1 6월

[If you've ever seen a tree stump], you / probably noticed [that the top of the stump had a series of rings].
조건의 부사절(If+S+V ~)   stump 그루터기

→ 당신이 나무 그루터기를 본 적이 있다면, 아마도 그루터기의 꼭대기 부분에 일련의 나이테가 있는 것을 알아차렸을 것이다.

1
고1 3월

When you put your dreams into words you begin putting them into action.
                                                        put ~ into action ~을 실행하다

→ _____

2
고1 3월 응용

Church started nursing at Milwaukee County Hospital after she graduated from the University of Minnesota.

→ _____

3
고1 3월 응용

Take your comics with you when you go to visit sick friends.

→ _____

4
고1 6월 응용

If you want to train your puppy to lie down, you just have to wait until he happens to do so.

→ _____

구문+서술형 표현 활용하여 영작하기

SAMPLE
고1 3월

귀하의 수습 기간이 끝날 때 귀하가 선택한 부서로 귀하를 배치할 수 있기를 바랍니다. (your training)

→ I hope that ___when your training is finished___ we will be able to settle you into the department of your choice.

5
고1 9월 응용

만약 당신이 독감에 걸린다면, 운동이 회복을 늦출 수 있다.
(have the flu)

→ _____, exercise can slow recovery.

6
고1 9월

이것은 우리가 특정한 감정을 느낄 때 자연스럽게 일어난다.
(feel, a particular emotion)

→ This happens spontaneously _____.

7
고1 9월 응용

만약 우리가 우리의 동료들과의 해결되지 않는 문제를 가지고 있다면, 그것은 우리가 문제를 해결할 때까지 우리를 괴롭힌다. (an unresolved problem, colleague, clear the air)

→ _____, it bothers us
_____.

구조+해석 부사절 표시하고 해석하기 본책 문장 LINK

SAMPLE
고1 3월 응용

Each of us / needs / people [who encourage us] [so that we can move
forward toward our goals].
목적의 부사절(so that+S+V ~) 442

→ 우리는 각자 자신의 목표를 향해 앞으로 나아가기 위해 우리를 격려해 주는 사람들이 필요하다.

1
고1 9월 응용

While the number of tourists to Istanbul increased steadily, Antalya
received less tourists compared to the previous year. 447

→ _____

2
고1 3월 응용

Although many small businesses have websites, they can't afford
aggressive online campaigns. 443

→ _____

3
고1 6월 응용

While fantasy involves imagining an idealized future, expectation is
based on a person's past experiences. 446

→ _____

구문+서술형 우리말과 같도록 표현 배열하기

SAMPLE
고1 3월 응용

비록 Fred는 문화에 관한 숙제를 했지만, 그는 한 가지 특정한 실수를 저질렀다.
(Fred / his cultural homework, / even though / he / had done / made
one particular error) 445

→ Even though Fred had done his cultural homework, he made one particular error.

4
고1 9월 응용

어떤 박테리아는 우리가 지구에서 숨 쉴 수 있도록 산소를 만들어낸다.
(we can breathe / so that / produce / some bacteria / oxygen / on Earth) 441

→ _____

5
고1 9월 응용

비록 그녀는 자기 자녀는 없었지만, 그녀는 아이들을 사랑했다.
(she / though / she / children of her own, / loved children / never had) 444

→ _____

6
고1 3월 응용

모든 사람들이 크게 웃을 수 있도록 당신이 좋아하는 것들을 친구들과 공유해라.
(with your friends / so that / a good laugh / everyone can get / share
your favorites) 440

→ _____

구조+해석 **부사절 표시하고 해석하기**

SAMPLE
고1 6월 응용

He / mailed / his writings / secretly / to editors [so that nobody would laugh at him].
목적의 부사절(so that+S+V ~)

→ 그는 아무도 자신을 비웃을 수 없도록 몰래 자신의 작품을 편집자에게 보냈다.

1
고1 3월

Although very young children will help each other in difficult situations, they are unwilling to share their possessions.   unwilling 꺼리는   possession 소유물

→ _____

2
고1 6월 응용

Instructors can activate relevant prior knowledge so that students draw on it effectively.   relevant 관련된   prior knowledge 사전 지식   draw on 이용하다

→ _____

3
고1 9월

Fifteen percent of leisure travelers chose a swimming pool as their top amenity while ten percent selected free parking.   leisure 여가   amenity 편의 서비스

→ _____

구문+서술형 **표현 활용하여 영작하기**

SAMPLE
고1 9월

비록 개인의 행동이 사회적 문제의 원인이 되기도 하지만, 우리의 개인적 경험은 종종 우리의 통제 범위를 넘어선다. (behavior, contribute to, social problems)

→ Although individual behavior can contribute to social problems, **our individual experiences are often largely beyond our own control.**

4
고1 3월

어떤 꿀벌들은 그들이 따뜻함을 유지할 수 있도록 작은 공간에 함께 모여 열을 내기 위해 그들의 날개를 빠르게 움직인다. (keep warm)

→ Certain honeybees pack together in a small space and move their wings quickly to produce heat, _____.

5
고1 3월 응용

한 집단은 초기 정보에서 그 사람이 똑똑하다는 의견을 형성한 반면, 다른 집단은 그 반대의 의견을 형성했다. (the other group, opposite)   opposite 반대의

→ One group formed the opinion that the person was intelligent on the initial set of data, _____.

6
고1 3월 응용

비록 그 교사는 대단한 인내심을 가진 사람이었지만, 그 학생의 행동으로 상처를 받았다. (a man of great patience)   patience 인내심

→ _____, he was hurt by the student's behavior.

ANSWERS p.32

구조+해석 부사절 표시하고 해석하기

본책 문장 LINK

SAMPLE
고1 3월 응용

You / trust / your best friend / so much [that you won't worry about him knowing you too well].
결과의 부사절(so+부사+that+S+V ~)

457

→ 당신은 가장 친한 친구를 아주 많이 믿어서 그 친구가 당신을 너무 잘 알고 있다는 것에 대해 걱정하지 않을 것이다.

1
고1 3월

Since the toaster has a year's warranty, our company is happy to replace your faulty toaster with a new toaster.

452

→ _____

2
고1 9월 응용

His temper was so difficult that nobody wanted to be his friend.

455

→ _____

3
고1 6월

People noise has also increased, because group work and instruction are essential parts of the learning process.

451

→ _____

구문+서술형 우리말과 같도록 표현 배열하기

SAMPLE
고1 3월 응용

그는 아주 대단한 사람이어서 사자는 그를 죽이지 않았다.
(such / was / he / the lion didn't kill him / that / a great person)

458

→ He was such a great person that the lion didn't kill him.

4
고1 6월 응용

내가 운전하는 것을 매우 좋아했기 때문에, 우리는 자동차에 대한 이야기로 옮겨 갔다.
(moved onto / as / we / very much, / talking about cars / I loved driving)

453

→ _____

5
고1 3월 응용

그녀는 너무 자주 넘어져서 그녀의 발목을 삐었다.
(she / that she sprained / so often / her ankle / had fallen)

456

→ _____

6
고1 6월 응용

많은 우리의 학생들이 조용한 학습 환경을 원하기 때문에, 도서관은 조용함을 제공해야 한다.
(want / must provide / many of our students / quietness, / because / a quiet study environment / libraries)

450

→ _____

구조+해석 부사절 표시하고 해석하기

SAMPLE
고1 3월 응용

[Since you can't use gestures to readers in writing], you / must rely on / words.
원인의 부사절(Since+S+V ~)

→ 글을 쓸 때에는 독자들에게 몸짓을 사용할 수 없으므로, 당신은 어휘에 의존해야 한다.

1
고1 9월 응용

He was so furious that during the very first day he drove in 37 nails.　furious 격노한
drive (못을) 박다

→

2
고1 6월 응용

Many people enjoy hunting wild species of mushrooms in the spring season, because they are highly prized.　highly 매우　prize 귀하게 여기다

→

3
고1 3월 응용

In the U.S. we have so many metaphors for time that we think of time as "a thing."　metaphor 은유　thing 물건

→

구문+서술형 표현 활용하여 영작하기

SAMPLE
고1 3월

우리는 흔히 작은 변화들이 당장은 아주 크게 중요한 것 같지 않아서 그것들을 무시한다.
(they, seem to, matter, very much)

→ We often ignore small changes because they don't seem to matter very much in the moment.

4
고1 9월 응용

그 물리학자는 그 마찰이 너무 작아서 그것의 효과는 무시할 수 있다는 점을 지적할 것이다.
(the friction, small, its effect, negligible)　negligible 무시할 수 있는

→ The physicist will point out that _____ .

5
고1 6월 응용

그들의 모국어는 Nauru어이지만, 영어가 행정 목적으로 사용되기 때문에 널리 쓰인다.
(it, use for, government purposes)

→ Their native language is Nauruan, but English is widely spoken _____ .

6
고1 3월 응용

인터넷은 너무 많은 무료 정보를 이용 가능하게 만들어서 우리는 그 모든 정보를 고려해야 한다.
(so, much, free information, have to, consider)

→ The Internet has made _____ available _____ all of it.

옳은 문장에 ✓

1
고1 9월

a Old ideas are replaced when scientists find new information who they cannot explain.

b Old ideas are replaced when scientists find new information that they cannot explain.

2
고1 9월 응용

a People build tools that transform the way we live.　　　transform 변화시키다

b People build tools that transform the way how we live.

3
고1 3월 응용

a The water that is embedded in our food is called "virtual water."　　　embed 내포하다

b The water that are embedded in our food is called "virtual water."

pollute 오염시키다

4
고1 3월 응용

a Few people would choose to walk on roadways which the air is polluted.

b Few people would choose to walk on roadways where the air is polluted.

5
고1 9월

a These medicines are called "antibiotics," that means "against the life of bacteria."

b These medicines are called "antibiotics," which means "against the life of bacteria."

6
고1 3월 응용

a If your cat is timid, she won't want to be displayed in cat shows.　　　timid 겁 많은

b Unless your cat is timid, she won't want to be displayed in cat shows.

7
고1 3월 응용

a There was one of your questions to which I forgot to give an answer.

b There was one of your questions to that I forgot to give an answer.

scarce 부족한　plenty of 많은

8
고1 9월 응용

a Since there are parts of the world where food is still scarce, most of the world's population today has plenty of food.

b Even though there are parts of the world where food is still scarce, most of the world's population today has plenty of food.

UNIT 9 색다른 단어와 구

핵심 개념 확인

		TRUE	FALSE
1	날씨, 날짜, 시간, 요일, 계절, 거리 등을 나타내는 문장에 사용되는 비인칭 주어 it은 '그것'으로 해석한다.	☐	☐
2	It is[was] ~ that ... 강조 구문을 이용하여 동사(구)를 강조할 수 있다.	☐	☐
3	to부정사(구)나 명사절 주어 대신 가주어 it을 문장 앞에 쓸 수 있다.	☐	☐
4	가주어 it–진주어 that절 구문에서는 that 이하가 불완전한 구조를 이룬다.	☐	☐
5	「as+원급+as」를 이용하여 두 대상의 정도가 같음을 나타낼 수 있다.	☐	☐
6	「비교급+than」을 이용하여 비교하는 두 대상의 정도 차이를 나타낼 수 있다.	☐	☐
7	「the+최상급+(명사+)in/of+명사(구)」를 이용하여 특정 범위에서 가장 정도 차이가 있는 하나를 나타낼 수 있다.	☐	☐
8	원급, 비교급 표현을 이용하여 최상급의 의미를 나타낼 수 있다.	☐	☐

구조+해석 it의 역할 표시하고, 해석하기

본책 문장 LINK

SAMPLE
고1 6월

It / takes / 20 minutes / by car / from City Hall.　460
S(비인칭 주어)　시간

→ 시청에서 차로 20분 걸린다.

1
고1 6월

It had been a hot sunny day and the air was heavy and still.　462

→ _____

2
고1 9월

It is tolerance that protects the diversity which makes the world so exciting.　467

→ _____

3
고1 9월

It might seem that praising your child's intelligence or talent would boost his self-esteem and motivate him.　464

→ _____

4
고1 6월

It was only when Newton placed a second prism in the path of the spectrum that he found something new.　468

→ _____

구문+서술형 우리말과 같도록 표현 배열하기

SAMPLE
고1 6월 응용

그가 추구하는 것이 무엇이든 그것을 성취할 수 있게 해 준 것은 바로 그의 자신감이었다.　466
(it was / he went after / that enabled him to achieve anything / his self-confidence)

→ It was his self-confidence that enabled him to achieve anything he went after.

5
고1 3월

St. Roma 고등학교에서의 나의 학기 첫날이었다.　459
(my first day / was / at St. Roma High School / it / of school)

→ _____

6
고1 6월

당신은 당신의 건강을 향상시키기 위해 그 가게로 걸어가는 것이 더 좋을 것 같다.　463
(it seems / to improve your health / to the shop / that you had better walk)

→ _____

7
고1 6월

궁극적으로, 당신의 발전을 결정짓는 것은 바로 그 과정에 대한 당신의 전념이다. (ultimately, /　465
it is / that will determine / your commitment to the process / your progress)

→ _____

8
고1 9월

심지어 홑이불 한 장조차 너무 더운 날이었다.　461
(it / too hot / even for a sheet / was)

→ _____

구조+해석 it의 역할 표시하고, 해석하기

SAMPLE
고1 6월

It wasn't / until after 9 a.m. [that an airplane / started / to run down the runway
It wasn't   강조 어구(M)   that   나머지 어구(S+V+O ~)
toward the ocean for takeoff].

→ 9시가 된 후에야 비로소 비행기 한 대가 이륙을 위해 바다를 향하여 활주로를 달리기 시작했다.

1
고1 9월 응용

It was raining and the room was leaking.   leak 비가 새다

→ _____

2
고1 3월

It seemed that those who had been paid well thought, "Well, people usually pay
me to do things I dislike."

→ _____

3
고1 3월 응용

People told him that it was his thinking that was depressing him.   depress 우울하게 하다

→ _____

4
고1 9월

She shouted with joy, "It's raining hard!"   shout 소리치다

→ _____

구문+서술형 표현 활용하여 영작하기

SAMPLE
고1 9월 응용

밖에 날씨가 춥기 때문에 나는 외투를 입어야 한다. (it, outside)

→ I should wear a jacket because it's cold outside.

5
고1 9월

우리가 우리인 것은 바로 우리의 문화에도 불구하고가 아니라, 정확히 그것 때문이다.
(it, not A but B, in spite of, be)   in spite of ~에도 불구하고

→ _____ who we are, but precisely because of it.

6
고1 3월 응용

지나친 보상을 주는 것이 그 일을 하는 사람들의 태도에 부정적인 영향을 줄 수도 있는 것 같다.
(seem, excessive rewards, may, have, negative)   excessive 지나친

→ _____ on the attitude
of the people doing the work.

7
고1 3월 응용

날씨가 너무 추워질 때, 거북은 연못 바닥의 진흙 속으로 깊이 구멍을 판다.
(it, get, turtle, dig a hole, deep, mud)   dig a hole 구멍을 파다

→ When _____, _____ at the bottom of a pond.

8
고1 3월 응용

날씨가 정말 예측 불가능하다는 것을 당신에게 상기시켜 주는 것은 바로 이런 것들 중 하나이다.
(it, those, remind)   remind 상기시키다

→ _____ that weather is highly unpredictable.

ANSWERS p.34

구조+해석   가주어(S)와 진주어(S′), 가목적어(O)와 진목적어(O′) 표시하고 해석하기   본책 문장 LiNK

SAMPLE
고1 6월

> For each of these traits, / it / is / best ⟨to avoid both deficiency and excess⟩.   470
>   S(가주어)   S′(진주어: to부정사구)
> → 이러한 각각의 특성에 있어, 부족과 과잉 둘 다를 피하는 것이 최상이다.

1
고1 3월

Over time, it became clear that he couldn't do a good job at both.   475

→ _____

2
고1 9월 응용

It feels good for someone to hear positive comments.   473

→ _____

3
고1 3월 응용

The arrangement by category makes it easy for you to memorize the store's layout.   479

→ _____

구문+서술형   우리말과 같도록 표현 배열하기

SAMPLE
고1 3월

> 마음을 산만하게 하는 것들이 너무 많을 때, 공부에 전념하는 것은 힘들 수 있다. (can be / to settle down to study / it / tough / when there are so many distractions)   471
> → It can be tough to settle down to study when there are so many distractions.

4
고1 9월

여러분의 노력에도 불구하고, 특별한 도움이 필요한 동물들을 돌보는 것은 우리 시설의 수용 능력을 넘어선다. (is / to care for animals / beyond our facility's capacity / despite your efforts, / with special needs / it)   469

→ _____

5
고1 3월

무대 불안을 줄이기 위해 연사가 자신의 원고를 암기하는 것이 중요하다. (for the speaker / his or her script / it / important / is / to memorize / to reduce onstage anxiety)   472

→ _____

6
고1 6월

당신도 알다시피, 모든 신입 사원들이 모든 부서에서 경험을 얻어야 하는 것이 우리 회사의 정책이다. (all new employees / it / as you know, / in all departments / that / is / our company's policy / must gain experience)   476

→ _____

7
고1 6월

문어체는 더 복잡한데, 이것은 읽는 것을 더욱 수고롭게 만든다. (more complex, / is / written language / it / to read / which makes / more work)   481

→ _____

구조+해석   가주어(S)와 진주어(S′), 가목적어(O)와 진목적어(O′) 표시하고 해석하기

SAMPLE
고1 3월

It / is / better [that you / make / your mistakes / early on / rather than later in life].
S(가주어)   S′(진주어: that+S+V ~)   rather than ~보다는

→ 삶에서 나중보다 이른 시기에 실수를 저지르는 것이 더 낫다.

1
고1 9월 응용

It is undesirable for humans to attempt such strict arrangements.   attempt 시도하다

→ _____

2
고1 9월 응용

Lower air pressure may make it easier to produce the burst of air.   burst 방출

→ _____

3
고1 6월

The carpenter said yes, but over time it was easy to see that his heart was not in his work.   carpenter 목수

→ _____

구문+서술형   표현 활용하여 영작하기

SAMPLE
고1 3월

당신의 애완동물의 특별한 욕구들을 인식하고 그것들을 존중해 주는 것이 중요하다.
(important, recognize, particular, respect)   recognize 인식하다

→ It is important to recognize your pet's particular needs and respect them.

4
고1 9월

가정들은 복잡한 세상을 단순화하고 이해하는 것을 더 쉽게 만들 수 있다.
(assumption, simplify, complex, make, easier)   assumption 가정   simplify 단순화하다

→ _____

5
고1 9월

우리의 뇌 조직의 85 퍼센트가 물이라고 알려져 있다.
(know, brain tissue)

→ _____

6
고1 3월

6세에서 24세의 젊은 사람들이 미국 전체 지출의 약 50 퍼센트에 영향을 미치는 것으로 보고되어 왔다.
(report, young people, aged, influence, all, spending, US)

→ _____

7
고1 9월

배터리가 완전히 충전되는 것은 90분이 걸린다.
(take, battery, fully, charge)   charge 충전하다

→ _____

ANSWERS↓ p. 35

구조+해석 원급 비교 표현 및 비교 대상 표시하고, 해석하기   본책 문장 LINK

SAMPLE
고1 6월응용

He turned and disappeared / as quickly as / he had come.   483
　　　　　　A　　　　　　　　　as+원급+as　　　　B

→ 그는 왔었던 것만큼 빠르게 돌아서서 사라졌다.

1
고1 9월

Accessibility to mass transportation is not as popular as free breakfast for business travelers.   485

→ _____

2
고1 9월

He ran as fast as he could and launched himself into the air.   488

→ _____

3
고1 3월응용

I discovered that the seller was very interested in closing the deal as soon as possible.   487

→ _____

4
고1 3월응용

To produce two pounds of meat requires about 5 to 10 times as much water as to produce two pounds of vegetables.   491

→ _____

구문+서술형 우리말과 같도록 표현 배열하기

SAMPLE
고1 6월응용

그녀는 눈만큼 하얀 드레스를 입은 한 아름다운 여자를 만났다.   484
(a beautiful woman / snow / she / met / as white as / who wore a dress)

→ She met a beautiful woman who wore a dress as white as snow.

5
고1 3월

그것은 또한 첫 번째 도전만큼 어려웠다.   482
(the first challenge, / it / as difficult as / was / too)

→ _____

6
고1 6월응용

그들은 그들이 할 수 있는 동안에 가능한 한 많이 먹는다.   486
(as much as possible / they / while they can / eat)

→ _____

7
고1 9월

2012년에, 6~8세 연령대의 아이들의 비율은 15~17세 연령대의 아이들의 그것보다 두 배 많았다. (in 2012, / was twice as large as / the percentage of the 6-8 age group / that of the 15-17 age group)   489

→ _____

8
고1 9월

건강 과학 발명 분야에서, 여성 응답자의 비율은 남성 응답자의 그것보다 2배 높았다. (for health science invention, / as high as / that of male respondents / was / twice / the percentage of female respondents)   490

→ _____

구조+해석 원급 비교 표현 및 비교 대상 표시하고, 해석하기

SAMPLE
고1 9월

Fast fashion / refers to / trendy clothes 〈designed, created, and sold / to consumers as quickly as possible / at extremely low prices〉.
 as+원급+as possible
→ 패스트 패션은 매우 낮은 가격에 가능한 빨리 디자인되고, 만들어지고, 소비자에게 팔리는 유행 의류를 지칭한다.

1
고1 3월

We believe that we are always better off gathering as much information as possible and spending as much time as possible in careful consideration.
→ _____

2
고1 3월 응용

The USA spent more than twice as much as Russia on international tourism.
→ _____

3
고1 3월 응용

An online comment is not as powerful as a direct interpersonal exchange.
interpersonal 사람 간의
→ _____

4
고1 9월 응용

The Internet revolution has not been as important as the washing machine.
revolution 혁명
→ _____

구문+서술형 표현 활용하여 영작하기

SAMPLE
고1 3월 응용

당신의 상사가 될 사람은 당신이 가능한 한 빨리 시작하기를 강력히 원한다. (start, soon)
→ Your potential boss strongly prefers that you start as soon as possible .

5
고1 9월 응용

네가 화가 날 때마다, 못을 하나 가져가서 그것을 저 낡은 울타리에 네가 할 수 있는 한 세게 박아라.
(drive ~ into, fence, hard, can)
→ Every time you get angry, take a nail, and _____ .

6
고1 6월 응용

또 다른 경쟁업체의 브랜드가 'Smiley Toothpaste'만큼 자주 추천되었다.
(recommend, just, often)
recommend 추천하다
→ Another competitor's brand _____ .

7
고1 6월

당신이 그 개만큼 배가 고플 때 개와 함께 나누는 그 뼈가 자선이다.
(just, hungry, dog)
→ Charity is the bone shared with the dog, when _____ .

8
고1 3월 응용

그룹 경계들은 그것들이 형성되었던 것만큼 빠르게 사라져 갔다.
(boundary, melt away, quickly)
boundary 경계
melt away 차츰 사라지다
→ _____ they had formed.

ANSWERS↓ p.35

구조+해석 비교급 표현 및 비교 대상 표시하고, 해석하기 · 본책 문장 LINK

SAMPLE
고1 9월

The actions of others / often speak volumes / louder than / their words. · 494
　　A　　　　　　　　　　　　　　　　　비교급+than　　　B

→ 다른 사람들의 행동들은 종종 그들의 말보다 더 큰 목소리를 낸다.

1
고1 3월

In 2011, Internet usage time by mobiles was shorter than that by desktops · 492
or laptops.

→ _____

2
고1 3월 응용

The percentage of UK adults using magazines in 2014 was lower than that · 493
in 2013.

→ _____

3
고1 6월

The influence of peers, she argues, is much stronger than that of parents. · 496

→ _____

4
고1 6월 응용

The higher the expectations, the more difficult it is to be satisfied. · 502

→ _____

구문+서술형 우리말과 같도록 표현 배열하기

SAMPLE
고1 3월 응용

부화한 후에, 닭은 까마귀보다 훨씬 더 빨리 분주하게 자신의 먹이를 쪼아 먹는다. (crows / · 497
after hatching, / chickens / much / faster than / for their own food / peck busily)

→ After hatching, chickens peck busily for their own food much faster than crows.

5
고1 3월 응용

문자 채팅은 음성 채팅보다 더 적은 수고와 집중을 필요로 했고 더 재미있었다. · 495
(less effort and attention, / and was more enjoyable / text chat required /
than voice chat)

→ _____

6
고1 6월

실제로, 물질 단위당, 뇌는 다른 기관보다 훨씬 많은 에너지를 사용한다. · 499
(actually, / our other organs / uses / by far / the brain / more energy
than / per unit of matter,)

→ _____

7
고1 9월 응용

우리가 더 많은 새로운 정보를 받아들일수록 시간은 더 천천히 흐른다고 느껴진다. · 500
(the more / we take in, / time feels / the slower / new information)

→ _____

8
고1 6월 응용

대부분의 플라스틱은 자외선에 노출될 때 점점 더 작은 조각으로 분해된다. · 503
(smaller and smaller pieces / when exposed to ultraviolet (UV) light /
break down into / most plastics)

→ _____

구조+해석   비교급 표현 및 비교 대상 표시하고, 해석하기

SAMPLE
고1 3월 응용

The seats with the best view of city life / are used / far more frequently than / those
                                    A   비교급 강조   비교급+than   B
[that do not offer a view of other people].   frequently 자주

→ 도시의 생활을 가장 잘 볼 수 있는 자리가 다른 사람들을 볼 수 없는 자리보다 훨씬 더 자주 이용된다.

1
고1 6월

Either of these types of responses are better than ending it with a negative.

→ _____

2
고1 9월 응용

The longer the close friends had known each other, the less steep the hill
appeared to the participants.   steep 가파른

→ _____

3
고1 9월 응용

Occupied time feels shorter than unoccupied time.   occupied 바쁜 (↔ unoccupied)

→ _____

4
고1 3월 응용

Crows are more intelligent than chickens.   intelligent 똑똑한

→ _____

구문+서술형   표현 활용하여 영작하기

SAMPLE
고1 9월

당신이 야구에 대해서 더 많이 알수록 그 지식은 당신이 경기를 보는 방식에 대해 더 많은 정보를 준다.
(know, knowledge, inform)   inform 정보를 주다

→ The more you know about baseball, the more that knowledge informs how you see a game.

5
고1 3월 응용

그녀는 그것을 바라보고, 점점 더 좌절감을 느낀다. (get, frustrated)
→ She looks at it and _____ .

6
고1 9월

결국, 소년은 화를 참는 것이 울타리에 못들을 박는 것보다 더 쉽다는 것을 이해하기 시작했다.
(hold one's temper, easy, drive ~ into, nail, fence)
→ Eventually, the boy started to understand that holding his temper _____
_____ .

7
고1 3월

팀이 클수록 다양해질 더 많은 가능성들이 존재한다. (big, possibility, exist)
→ _____ for diversity.

8
고1 3월 응용

뉴스 영상 사이트들에서 뉴스 영상들을 소비하는 것은 소셜 네트워크를 통한 것보다 더 인기가 있다.
(news site, popular, via, social networks)   via ~을 통해서
→ Consuming news videos _____ .

ANSWERS p.36

구조+해석 최상급 표현 및 비교 범위 표시하고, 해석하기   본책 문장 LINK

SAMPLE
고1 6월

In both 2013 and 2015, / the rates for "Storyline" / were / the highest / of
the four key factors.   505
　　　　　　　　　　　　　A　　　　　　　　　　　　　　　　　the+최상급
of+복수명사
→ 2013년과 2015년 둘 다, '줄거리'의 비율은 네 가지 주요 요인들 중에서 가장 높았다.

1
고1 9월

In the late 1800s, the railroads were the biggest companies in the U.S.   504

→ _____

2
고1 3월

Nothing is more important to us than the satisfaction of our customers.   511

→ _____

3
고1 3월응용

Distance traveled relates more directly to sales per entering customer
than any other measurable consumer variable.   513

→ _____

4
고1 6월

One of the most essential decisions any of us can make is how we invest
our time.   508

→ _____

구문+서술형 우리말과 같도록 표현 배열하기

SAMPLE
고1 3월응용

모든 이웃들이 그녀의 아버지에게 그녀가 독일에서 가장 아름다운 소녀라고 장담했다.   507
(her father / in Germany / assured / that she was / all the neighbors /
the most beautiful girl)

→ All the neighbors assured her father that she was the most beautiful girl in Germany.

5
고1 6월

5개 국가들 중, 미국이 약 120개로 가장 많은 메달을 획득하였다. (of the 5 countries, /
won the most medals / the United States / about 120 / in total,)   506

→ _____

6
고1 9월응용

너는 유도 전체에서 가장 어려운 던지기 동작들 중 하나에 통달했다.   509
(the most difficult / you've mastered / in all of judo / throws / one of)

→ _____

7
고1 9월

가구 선택은 소비자가 하는 가장 인지적으로 힘든 선택들 중 하나이다.   510
(furniture selection / the most cognitively demanding choices / one of /
is / any consumer makes)

→ _____

8
고1 3월

2012년에는 다른 어떤 나라도 인도보다 더 많은 쌀을 수출하지 않았다.   512
(more rice / no / exported / than India / other country / in 2012)

→ _____

구조+해석　최상급 표현 및 비교 범위 표시하고, 해석하기

SAMPLE
고1 3월

Happy Voice,/ one of the most famous school clubs,/ is holding / an audition / for you.
　　　　　　　one of the+최상급+복수명사　　　　　　　　　　　　　　　hold 개최하다

→ 가장 유명한 학교 동아리들 중 하나인 Happy Voice가 여러분을 위해 오디션을 개최할 것이다.

1
고1 6월 응용

Marital success is more closely linked to communication skills than to any other factor.

→ _____

2
고1 6월 응용

One of the greatest benefits of getting older is the cooling of passion.

→ _____

3
고1 6월

With a population of about 10,000, Nauru is the smallest country in the South Pacific and the third smallest country by area in the world.

→ _____

4
고1 3월

Of the five spenders, Russia spent the smallest amount of money on international tourism.
　　　　　　　　　　　　　　　　　　　　　　　　　　　　　　tourism 관광

→ _____

구문+서술형　표현 활용하여 영작하기

SAMPLE
고1 3월

내 딸들이 기저귀를 차고 있을 때조차 그들에게서 "내 거야!"라는 말보다 더 자주 들었던 말은 없었다.
(there, no word, more ~ than, frequently, mine, when, in diapers)　　diaper 기저귀

→ There was no word I heard more frequently than "Mine!" from my daughters when they were still in diapers.

5
고1 6월

Leopard shark들의 가장 흥미로운 특징들 중 하나는 세 개의 뾰족한 끝이 있는 이빨들이다.
(interesting, feature, three-pointed)　　feature 특징

→ _____

6
고1 6월 응용

플라스틱 병에 든 물 한 병이 갑자기 세상에서 가장 귀중한 것들 중 하나가 될 수도 있다.
(suddenly, become, valuable, universe)　　valuable 귀중한

→ _____

7
고1 3월

음식은 경영자로서 여러분이 사용할 수 있는 가장 중요한 수단들 중 하나이다.
(important, tool, use, as, manager)　　tool 수단

→ _____

8
고1 6월

당신은 세계에서 가장 큰 대학 도서관에서 연구를 할 것이다. (conduct, research, large)

→ _____

1

고1 9월 응용

a That took about a minute to get from the arrival gate to baggage claim.

b It took about a minute to get from the arrival gate to baggage claim.

2

고1 3월 응용

a I want to be thoroughly used up when I die, for the harder I work, the more I live.

b I want to be thoroughly used up when I die, for harder I work, more I live.

3

고1 9월 응용

a It rained for a couple days and the backyard grass became so high.

b That rained for a couple days and the backyard grass became so high.

4

고1 3월 응용

a Its local farmers will find it difficult to produce food to sell.   produce 생산하다

b Its local farmers will find that difficult to produce food to sell.

5

고1 6월 응용

a They have eaten as more as their bellies can take.   belly 배

b They have eaten as much as their bellies can take.

6

고1 3월

a In both years, Pakistan exported the smallest amount of rice of the four countries.

b In both years, Pakistan exported the smallest amount of rice in the four countries.

7

고1 3월

a His next challenge was as great or even greater than the T-shirts.   challenge 도전

b His next challenge was as great or even greater as the T-shirts.

8

고1 3월 응용

a The eyes are one of the most important means of cooperation.   cooperation 협동

b The eyes are one of the most important mean of cooperation.

UNIT 10 ✈ 색다른 문장

		TRUE	FALSE
1	현재의 상황 · 사실과 반대되는 것을 가정 또는 상상할 때 가정법 과거를 사용한다.	☐	☐
2	「If+S+V(과거) ~, S+조동사의 과거형+동사원형 …」 형태의 가정법 문장이 실제로 의미하는 시제는 과거이다.	☐	☐
3	과거의 상황 · 사실과 반대되는 것을 가정 또는 상상할 때 가정법 과거완료를 사용한다.	☐	☐
4	가정법 과거완료는 「If+S+had p.p. ~, S+조동사의 과거형+have p.p. …」 형태이다.	☐	☐
5	I whish 가정법은 현재/과거에 이룰 수 없는 소망을 표현할 때 사용한다.	☐	☐
6	as if 가정법이 포함된 문장에서 주절의 동사는 항상 과거형으로 써야 한다.	☐	☐

본책 문장 LINK

구조+해석 가정법 표현에 표시하고 해석하기

SAMPLE
고1 6월

> If we lived on a planet [where nothing ever changed], / there would be little / 516
> If+S+V(과거) 조동사의 과거형+동사원형+S(도치)
> to do.
> → 만약 우리가 아무것도 변하지 않는 행성에서 산다면, 할 일이 거의 없을 것이다.

1
고1 3월 응용

Carnegie told her that if he wrote them a letter, he would get an immediate response. 518

→ _____

2
고1 6월

If the decision to get out of the building hadn't been made, the entire team would have been killed. 522

→ _____

3
고1 3월

If Ernest Hamwi had taken that attitude when he was selling zalabia, a very thin Persian waffle, at the 1904 World's Fair, he might have ended his days as a street vendor. 523

→ _____
_____

구문+서술형 우리말과 같도록 표현 배열하기

SAMPLE
고1 3월

> 만약 기체들이 교환되는 대신에 소모된다면, 생명체들은 죽을 것이다. (living things / 515
> instead of being exchanged, / would die / if gases were used up)
> → If gases were used up instead of being exchanged, living things would die.

4
고1 6월 응용

만약 당신이 동물원에 있다면, 당신은 그 동물이 '가까이에' 있다고 말할 것이다. 514
(you might say / if you were at a zoo, / you are 'near' an animal)

→ _____

5
고1 3월

우리 아이들은 만약 그들이 조부모의 문화로 되돌아가야 한다는 말을 들으면 겁이 날 것이다. 519
(if they were told / our children would be horrified / of their grandparents / they had to go back to the culture)

→ _____
_____

6
고1 3월

만약 그 수표가 동봉되었다면, 그들은 그렇게 빨리 답장을 보냈을까? 521
(would they have responded / if the check had been enclosed, / so quickly)

→ _____

구조+해석　가정법 표현에 표시하고 해석하기

SAMPLE
고1 3월

<u>If you were trying to explain</u> / on the cell phone ⟨how to operate / a complex machine⟩,
If+S+V(과거)
/ <u>you'd stop walking.</u>
S+조동사의 과거형+동사원형　　　　　　　　　　　　　　　　　　　　operate 작동하다
→ 만약 당신이 복잡한 기계를 작동하는 방법을 휴대전화로 설명하려고 하고 있다면, 당신은 걸음을 멈출 것이다.

1
고1 3월 응용

If you tried to copy the original rather than your imaginary drawing you might find your drawing now was a little better.　　　　　　　　　　original 원본

→ _____

2
고1 6월

If you were telling someone how to get to your local shop, you might call it 'near' if it was a five-minute walk away.

→ _____

3
교과서

I'd have done it earlier if it hadn't taken so long to order new ones online.
　　　　　　　　　　　　　　　　　　　　　　　　　　　　　order 주문하다

→ _____

구문+서술형　표현 활용하여 영작하기

SAMPLE
고1 3월

십 대 아이가 부모나 보호자에 대한 매우 심각한 불손과 갈등을 키우지 않는다면, 그들은 결코 떠나고 싶어 하지 않을 것이다. (build up, disrespect for, conflict, want, leave)　　conflict 갈등

→ If teenagers didn't build up a fairly major disrespect for and conflict **with their parents or carers,** they'd never want to leave _____.

4
고1 9월 응용

만약 당신이 온라인에서 감동적인 걸작인 축사를 구입한다면, 당신은 아마도 그것을 감출 것이다.
(purchase, moving, masterpiece, probably, cover ~ up)　　moving 감동적인　toast 축사

→ _____ of a toast online, _____.

5
고1 3월

우리 부모님들은 만약 그들이 손주들의 문화에 참여해야 한다고 들으면 겁이 날 것이다.
(our parents, horrified, be told, participate in, culture)　　participate in ~에 참여하다

→ _____ of
their grandchildren.

6
교과서

"보세요." 그 젊은 여성이 대답했다. "만약 저 자신이 그 능력을 가지고 있었다면, 저는 더 조용히 있었을 거예요." (have, ability, be, quieter)　　ability 능력

→ "Look," responded the young woman, "_____."

ANSWERS ↓ p.38

구조+해석 주어(S), 동사(V) 표시하고 해석하기

본책 문장 LINK

SAMPLE
고1 6월 응용

People in one group / were told / to relive the event [as if it were happening
　　　　　　　S　　　　　　V(과거)　　　　　　　　　　　　　　　　　　as if+S+V(과거)
again].

530

→ 한 그룹의 사람들은 마치 그것이 다시 일어나고 있는 것처럼 그 사건을 되살려 보도록 요청받았다.

1
고1 3월

I only wish there were something I could say or do that would help ease
the pain of your loss.

526

→ _____

2
고1 6월

"I wish my life were the way it is in movies," I said with a sigh.

525

→ _____

3
고1 9월 응용

As soon as he puts skis on his feet, it is as though he had to learn to
walk all over again.

531

→ _____

구문+서술형 우리말과 같도록 표현 배열하기

SAMPLE
고1 3월 응용

당신은 마치 당신이 정말 주연을 맡은 것처럼 그 역을 배워야 한다.
(you / did have the lead / should learn the role / as if / you)

529

→ You should learn the role as if you did have the lead.

4
고1 9월 응용

그녀는 "이 가뭄이 끝난다면 좋을 텐데."라고 속삭였다.
(would end / she / I wish / whispered, / the drought)

524

→ _____

5
고1 6월 응용

우리는 때때로 어떤 것에 대해 무지하기를 소망한다.
(we / were never informed / sometimes wish that / about something / we)

527

→ _____

6
고1 6월

너무도 많은 회사들이 마치 그들의 경쟁자들이 존재하지 않는 것처럼 그들의 신제품들을
광고한다. (did not exist / too many companies / as if / their competitors /
their new products / advertise)

528

→ _____

구조+해석 주어(S), 동사(V) 표시하고 해석하기

SAMPLE
교과서

The lyricist wishes [that his heart / were a stereo] and [that he himself / were a radio].
$\underset{\text{S+wishes}}{}$ $\underset{\text{S}_1}{}$ $\underset{\text{V}_1(과거)}{}$ $\underset{\text{S}_2}{}$ $\underset{\text{V}_2(과거)}{}$

→ 작사가는 그의 심장이 스테레오가 되기를 원하고, 자신이 직접 라디오이기를 바란다.

1
교과서

I'm very busy these days. I wish I had more time.

→ _____

2
고1 9월

Musical ideas sprang into his head, fully formed, as if he were taking dictation.

dictation 받아쓰기

→ _____

3
고1 6월

People can actually end up appearing more foolish when they act as if they had knowledge that they do not.

end up v-ing 결국 ~하다

→ _____

구문+서술형 표현 활용하여 영작하기

SAMPLE
고1 9월

마치 새들이 음악회를 하려고 조율을 시작하는 것처럼, 여기저기에 작고 부드러운 소리가 가득했다.
(tender, here and there, as if, begin, tune up)

→ There were tender little sounds here and there, as if birds were beginning to tune up for a concert.

4
고1 9월

그녀는 그 뇌우가 선물인 것처럼 느꼈다.
(feel, as though, thunderstorm, be, present)

→ _____

5
교과서 응용

나는 당신이 더 조용히 있었으면 좋겠다.
(wish, be, quieter)

→ _____

6
교과서

내가 그것에 가까이 다가가 올려다보았을 때, 나는 마치 내가 '걸리버 여행기'의 거인국에 있는 것처럼 느꼈다.
(get close, look up, as if, be, Giant Land in *Gulliver's Travels*)

→ _____

옳은 문장에 ✔

1

고1 3월

a　If the earth is flat, the shortest route would be to head straight east.

b　If the earth were flat, the shortest route would be to head straight east.

2

교과서

a　I would have called you earlier if my phone battery had not died.

b　I would call you earlier if my phone battery had not died.

3

교과서

a　It looked as if the lights were slowly dancing to the music of nature.

b　It looked as if the lights are slowly dancing to the music of nature.

4

고1 6월 응용

a　My son said that the boy can have the spikes if he wanted them.

b　My son said that the boy could have the spikes if he wanted them.

5

교과서

a　I wish you had be kinder to my friends.

b　I wish you had been kinder to my friends.

6

교과서

a　If the wind had not been so strong, we could have had tea outside.

b　If the wind has not been so strong, we could have had tea outside.

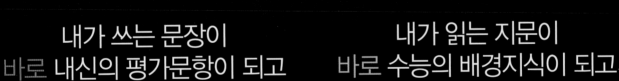

#차원이_다른_클라쓰
#강의전문교재
#고등교재

수학 교재

●쉬운 개념서
짤강수학   예비고~고3
수학(상), 수학(하), 수학Ⅰ, 수학Ⅱ, 확률과통계, 미적분

●쉬운 입문서
수학입문   예비고~고3
수학(상), 수학(하), 수학Ⅰ, 수학Ⅱ

●수학 기본서
수학의 힘 알파   고1~고3
수학(상), 수학(하), 수학Ⅰ, 수학Ⅱ, 확률과통계, 미적분

●문제 유형서
수학의 힘 베타   고1~고3
수학(상), 수학(하), 수학Ⅰ, 수학Ⅱ, 확률과통계, 미적분

●4주 집중학습 기출문제집
내신 꼭   고1~고3
고등수학, 수학Ⅰ, 수학Ⅱ

영어 교재

●종합 기본서
체크체크 고등영어   예비고~고1

●고등 영어의 시작
처음 만나는 수능 구문   예비고~고2
Starter, Basic

●고등 영어의 시작
처음 만나는 수능 어법   예비고~고2
Starter, Basic

●필수 어휘 총 정리서
바로 VOCA   예비고~고1
고교기본, 수능필수

정답과 해설
포인트 3가지

▶ 혼자서도 이해할 수 있는 기출 문장 분석

▶ 구문에 맞는 바른 해석 수록

▶ 핵심 개념을 담은 친절한 해설

기출문장으로 공략하는

처음 만나는 수능 구문

Workbook

ANSWERS

입문

UNIT 1 문장의 다섯 요소

1 FALSE	2 TRUE	3 TRUE	4 FALSE	5 TRUE	6 TRUE	7 TRUE	8 FALSE

UNIT 1   1 주어   pp. 8-9

구조+해석   REVIEW

1 Technology / has / doubtful advantages.
    <u>S</u>
기술은 의문의 여지가 있는 이점을 지니고 있다.

2 He / opened / his wallet.
   <u>S</u>
그는 그의 지갑을 열었다.

3 Fawn and Sam / were / two happy people.
   <u>S</u>
Fawn과 Sam은 두 명의 행복한 사람들이었다.

구문+서술형

4 They avoid challenges.

5 Rain hits the windscreen.

6 One day, one editor recognized him.

구조+해석   NEW SENTENCES

1 The sound / paused.
    <u>S</u>
그 소리가 잠시 멈췄다.

2 I / saw / a large fountain.
  <u>S</u>
나는 큰 분수대를 보았다.

3 At the age of fourteen / James / received / his
                <u>S</u>
first camera.
열네 살에 James는 그의 첫 번째 카메라를 받았다.

구문+서술형

4 Dorothy dropped the phone.

5 Advertisements cite statistical surveys.

6 Crackers and chips were my primary snack foods.

UNIT 1   2 동사   pp. 10-11

구조+해석   REVIEW

1 Most dictionaries / list / names of famous people.
     <u>S</u>   <u>V</u>
대부분의 사전은 유명한 사람들의 이름을 목록에 싣고 있다.

2 The museum / hosts / many new exhibits / during
    <u>S</u>   <u>V</u>
the summer.
그 미술관은 다수의 새로운 전시회를 여름 동안 개최한다.

3 The participation fee / is / $8 / per person.
     <u>S</u>   <u>V</u>
참가비는 한 사람당 8달러이다.

구조+해석   NEW SENTENCES

1 We / express / our opinions / all the time.
  <u>S</u>   <u>V</u>
우리는 항상 우리의 의견들을 표현한다.

2 Praise / is / critical / to a child's sense of self-esteem.
   <u>S</u> <u>V</u>
칭찬은 아이의 자존감에 중요하다.

3 The program / ends / with an exhibition of student
    <u>S</u>   <u>V</u>
works.
그 프로그램은 학생 작품 전시로 마무리된다.

구문+서술형

4 The average grocery store carries over 10,000 items.

5 The answer lies in human nature.

6 We need your blessing and support.

구문+서술형

4 Mobility provides a change

5 The concept applies to many areas

6 Recent studies show interesting findings

UNIT 1 / 3 목적어

구조+해석　　　　　　　　REVIEW

1 Compassion / takes / practice.
　　　　　　　　V　　　O
연민은 연습을 필요로 한다.

2 Young children / express / themselves / creatively.
　　　　　　　　　　V　　　　O
어린 아이들은 그들 자신을 창의적으로 표현한다.

3 He / asked / the man / his name.
　　　　V　　　IO　　　DO
그는 그 남자에게 그의 이름을 물었다.

구조+해석　　　　　NEW SENTENCES

1 He / took / a set of prisms / home.
　　　V　　　O
그는 프리즘 한 세트를 집으로 가져왔다.

2 I / tell / them / the story.
　　V　　IO　　DO
나는 그들에게 그 이야기를 말해준다.

3 The boy / began / lessons / with an old Japanese judo master.
　　　　　　V　　　O
그 소년은 어느 나이 지긋한 일본 유도 숙련자와 레슨을 시작했다.

구문+서술형

4 He launched himself into the air.

5 Fast fashion hurts the environment.

6 She gives Angela her bottle.

구문+서술형

4 She received the Nobel Prize for Literature.

5 Dromerdeener gave people bendable knees.

6 Most people rate themselves above average on all manner of measures.

UNIT 1 / 4 보어

구조+해석　　　　　　　　REVIEW

1 The world / is / a funny place.
　　　　S　　　　　C
세상은 재미있는 장소이다.

2 Newspaper headlines / called / the man / a "spelling bee hero."
　　　　　　　　　　　　　　　O　　　C
신문기사 헤드라인은 그 남자를 '단어 철자 맞히기 대회 영웅'이라고 불렀다.

3 Your actions / seem / robotic.
　　　S　　　　　　C
당신의 행동은 로봇같이 보인다.

구조+해석　　　　　NEW SENTENCES

1 Most bacteria / are / good / for us.
　　　S　　　　　　C
대부분의 박테리아는 우리에게 유익하다.

2 The mind / is essentially / a survival machine.
　　S　　　　　　　　　C
생각은 본질적으로 생존 기계이다.

3 The diversity / makes / the world / so exciting.
　　　　　　　　　　　　O　　　　C
다양성은 이 세상을 매우 흥미롭게 만든다.

구문+서술형

4 The rich man was very unkind and cruel to them.

5 Water is essential to all life.

6 You are an angel!

구문+서술형

4 The land made travel so difficult.

5 Another obstacle is the harsh conditions on other planets.

6 They considered online customer ratings important.

UNIT 1 / 5 수식어 pp. 16-17

구조+해석   REVIEW

1 Water / is / the ultimate commons.
     M(형용사)   C
물은 궁극적인 공유 자원이다.

2 She / lay / quite still.
     M(부사)   M(형용사)
그녀는 아주 가만히 누워 있다.

3 The normal robot / shows / deterministic behaviors.
   M(형용사)   S   M(형용사)   O
보통의 로봇은 이미 정해진 행동들을 보인다.

4 Leonardo Da Vinci / made / his sketches / individually.
     V   M(부사: V 수식)
레오나르도 다빈치는 그의 스케치를 혼자서 그렸다.

구조+해석   NEW SENTENCES

1 Europe's constant disunity / has / a long history.
   M(형용사)   S   M(형용사)   O
유럽의 지속적인 분열은 오랜 역사를 지니고 있다.

2 Suddenly [the woman's face / changed].
  M(부사)   문장 전체
갑자기 그녀의 얼굴이 돌변했다.

3 She / painted / portraits ⟨of the children⟩.
     O   M(전치사구)
그녀는 아이들의 초상화를 그렸다.

4 Sometimes [the attraction / is / specific goods].
  M(부사)   문장 전체   M(형용사)   C
때로는 사람의 관심을 끄는 것이 특정 상품이기도 하다.

구문+서술형

5 He developed his passion for photography.

6 Music appeals powerfully to young children.

7 Great artists spend countless hours in their studios.

8 Not surprisingly, you walk on the court and drop the ball.

구문+서술형

5 The Pygmy watched buffalo curiously.

6 Your words leave scars in people's hearts.

7 The slave and the lion became very close friends.

8 He spent the rest of his life peacefully in Madrid.

UNIT 1 REVIEW QUIZ p. 18

1 a	2 b	3 a	4 b	5 b	6 a	7 a	8 b

1 주어 Everything이 3인칭 단수이므로, 단수 동사 is가 알맞다.
모든 것이 낯설다.

2 주어 She를 보충 설명하는 보어 자리이므로 형용사 busy가 알맞다.
그녀는 학교 프로젝트로 바빴다.

3 문장 전체를 수식하는 부사 Similarly가 알맞다.
마찬가지로, Marie Curie의 남편은 원래 자신이 하던 연구를 중단했다.

4 주어 Some wild mushrooms가 3인칭 복수이므로, 복수 동사 are가 알맞다.
몇몇 야생 버섯들은 위험하다.

5 동사 won을 수식하는 부사 easily가 알맞다.
그 소년은 처음 두 경기를 쉽게 승리했다.

6 간접목적어와 직접목적어가 함께 오는 경우 '~에게'로 해석하는 간접목적어(you)가 먼저 오는 것이 알맞다.
이것은 당신에게 기회를 준다.

7 보어로 쓰인 명사 habits를 수식하는 형용사 innate가 알맞다.
이것들은 타고난 습관이지 단순한 중독은 아니다.

8 주어 Many students가 3인칭 복수이므로, interrupt가 알맞다.
많은 학생들은 인터넷 서핑으로 자신의 공부를 방해한다.

핵심 개념 확인   **p. 19**

1 TRUE   **2** TRUE   **3** TRUE   **4** FALSE   **5** FALSE   **6** FALSE   **7** TRUE   **8** FALSE

UNIT **2**   1 1형식 – 주어 + 동사   pp. 20 - 21

구조+해석   REVIEW

1 He / went / to a forest.
    s   v
그는 숲으로 갔다.

2 The global smartphone average price / decreased /
                    s   v
from 2010 to 2015.

전 세계의 스마트폰 평균 가격은 2010년부터 2015년까지 하락
했다.

3 Something mysterious / happened / in his curious
            s   v
mind.

호기심이 많은 그의 마음속에 무언가 신비로운 일이 일어났다.

4 There is / a significant difference / between them.
    v   s
그들 사이에 중요한 차이점이 있다.

구문+서술형

5 Buffalo appeared in the distance.

6 There is an additional $50 fee.

7 Two white girls about her age sat among a lot of
dolls.

8 The old man answered in three profound words.

구조+해석   NEW SENTENCES

1 After a few days / the lion / recovered.
                        s   v
며칠 뒤에 그 사자는 회복되었다.

2 The soldier / ordered / in a stern voice.
        s   v
그 군인은 단호한 목소리로 명령했다.

3 At first glance / there is / nothing 〈particularly
                        v   s
unique / about this〉.

언뜻 보아, 이것에 대한 특별히 독특한 점은 없다.

4 The request 〈for money〉 never came.
        s   v
돈의 요구는 전혀 일어나지 않았다.

구문+서술형

5 He slept late on weekends.

6 There is room for personal choice.

7 She stumbled and fell.

8 Much of learning occurs through trial and error.

UNIT **2**   2 2형식 – 주어 + 동사 + 보어   pp. 22 - 23

구조+해석   REVIEW

1 Emoticons / were / a definite advantage / in non-verbal
        s   v   c
communication.

이모티콘은 비언어적 의사소통에서 확실한 장점이었다.

2 I / felt / alone and homesick.
    s   v   c
나는 외롭고, 몹시 고향을 그리워한다고 느꼈다.

구조+해석   NEW SENTENCES

1 This / is / the leap 〈to greatness〉.
    s   v   c
이것은 위대함을 위한 도약이다.

2 Dorothy / felt / dizzy.
        s   v   c
Dorothy는 어지러웠다.

3 In 1930, / <u>she</u> / <u>became</u> / <u>the first female flight</u>
_S   _V
<u>attendant</u> / in the U.S.
_C

1930년에, 그녀는 미국 최초의 여성 비행기 승무원이 되었다.

4 Once, / <u>watercourses</u> / <u>seemed</u> / <u>boundless</u>.
_S   _V   _C

한때, 강들은 끝없는 것 같았다.

3 <u>Dinosaurs</u> / <u>are</u> / <u>a popular topic</u> 〈for kids〉.
_S   _V   _C

공룡은 아이들에게 인기가 있는 주제이다.

4 <u>They</u> / <u>became</u> / <u>famous</u> / for their discoveries.
_S   _V   _C

그들은 자신들의 발견으로 유명해졌다.

구문+서술형

5 Nauru is an island country in the southwestern Pacific Ocean.

6 Tree rings grow wider in warm, wet years.

7 Plants and animals are central to mythology.

8 It appears awkward and out of place.

구문+서술형

5 Touch is an important aspect of many products.

6 Their visits are obviously beneficial.

7 Rewards sound so positive.

8 This training is ineffective, and many managers remain poor coaches.

UNIT 2 3 3형식 - 주어 + 동사 + 목적어　　pp. 24-25

구조+해석　　REVIEW

1 <u>She</u> / <u>picked up</u> / <u>the pot's lid</u>.
_S   _V   _O

그녀는 냄비 뚜껑을 집어 들었다.

2 <u>We</u> / <u>have</u> / <u>an online shop</u> 〈for books〉.
_S _V   _O

우리는 책을 판매하는 온라인 상점을 운영하고 있다.

3 <u>The man</u> 〈from the car behind〉 <u>approached</u> / <u>us</u>.
  _S   _V   _O

뒤차에서 내린 그 남자가 우리에게 다가왔다.

4 Under competitive conditions, / <u>the boys</u> / <u>drew</u> /
                       _S   _V
<u>sharp group boundaries</u>.
_O

경쟁적인 환경에서, 소년들은 뚜렷한 그룹 경계를 그었다.

구조+해석　　NEW SENTENCES

1 <u>He</u> / <u>took</u> / <u>hundreds of photographs</u> 〈of his family
_S _V   _O
and town〉.

그는 수백 장의 가족사진과 마을 사진을 찍었다.

2 <u>They</u> / <u>observed</u> / <u>me</u> / threateningly.
_S   _V   _O

그들은 위협적으로 나를 지켜보았다.

3 As the director, / <u>I</u> / <u>appreciate</u> / <u>your help and</u>
             _S   _V   _O
<u>support</u>.

관리자로서, 여러분의 도움과 지원에 대해 감사드립니다.

4 <u>Geography</u> / <u>influenced</u> / <u>human relationships</u> /
_S   _V   _O
in Greece.

그리스에서는 지형이 인간관계에 영향을 미쳤다.

구문+서술형

5 He opened his own studio in 1916.

6 He sent off two warm letters to the boys.

7 The smartphone average price in India reached its peak in 2011.

8 We look for balance and harmony in our lives.

구문+서술형

5 Sometimes these forever-friendships go through growing pains.

6 Technological development often forces change.

7 The brain makes up just two percent of our body weight.

8 Shirley attended Brooklyn College and majored in sociology.

구조+해석 — REVIEW

1 He / handed / me / his cell phone.
　 S　 V　 IO　 DO
그는 나에게 그의 핸드폰을 건네주었다.

2 Soon, / each group / considered / the other / an
　　　　 S　　　　 V　　　　 O
enemy.
C
곧, 각 그룹은 서로를 적으로 여겼다.

3 Two and a half years later, / he / asked / them /
　　　　　　　　　　　　　　 S　 V　　 IO
the same question.
DO
2년 반 후, 그는 그들에게 같은 문제를 물어보았다.

4 None of her books / leaves / the reader / unconcerned.
　 S　　　　　　 V　　 O　　　　 C
그녀의 책 중 어느 것도 독자를 무관심하도록 두지 않는다.
(독자의 관심을 끌지 못한 책은 없다.)

구문+서술형

5 My friends call me Mina.

6 In 1969, the exhibition brought him international recognition.

7 Trees give scientists some information about that area's local climate.

구조+해석 — NEW SENTENCES

1 This novel / won / Wharton / the 1921 Pulitzer Prize.
　 S　　 V　 IO　　　 DO
이 소설은 Wharton에게 1921년 Pulitzer상을 안겨주었다.

2 Your mind / makes / your last thoughts / part of
　 S　　 V　　　 O　　　　　　 C
reality.
당신의 마음은 당신의 마지막 생각을 현실의 일부로 만든다.

3 In an experiment, / researchers / handed /
　　　　　　　　　 S　　　　 V
participants / that photo.
IO　　　　 DO
한 실험에서, 연구자들은 참가자들에게 그 사진을 건네주었다.

4 A spirit of community / makes / all participants /
　 S　　　　　　　 V　　　 O
happier.
C
공동체 의식은 모든 참여자들을 더 행복하게 만든다.

구문+서술형

5 The unique appearance of the Joshua tree makes it a desirable decoration.

6 They offered him a gift of one million pesos.

7 The Saigon Execution photo earned him the Pulitzer Prize in 1969.

UNIT 2 REVIEW QUIZ
p. 28

1 b	2 a	3 a	4 b	5 b	6 a	7 b	8 a

1 「There+be동사+주어」 형태의 1형식 문장이다. 주어 food labels가 3인칭 복수이므로, 복수 동사 are가 알맞다.
다행히도, 이제 식품 라벨이 있다.

2 주어가 생략된 명령문으로, 「(주어+)동사+목적어+보어」 형태의 5형식 문장이다. 목적어 the door를 보충 설명하는 보어 자리이므로 형용사 open이 알맞다.
문을 열어 두어라.

3 「주어+동사+보어」 형태의 2형식 문장이다. 주어 The brain을 보충 설명하는 보어 자리이므로 형용사 efficient가 알맞다.
뇌는 놀라울 만큼 효율적이다.

4 「주어+동사+간접목적어+직접목적어」 형태의 4형식 문장이다. 동사 gave 다음에 '~에게'로 해석하는 간접목적어 students가 오는 것이 알맞다.
Timothy Wilson은 학생들에게 다섯 개의 다른 미술 포스터의 선택권을 주었다.

5 「주어+동사+수식어구」 형태의 1형식 문장이다. 동사 lead를 수식하는 전치사구 to a problem이 알맞다.
많은 실수는 결국 문제로 이어진다.

6 「주어+동사+목적어」 형태의 3형식 문장이다. 동사 reach의 목적어는 '~에'로 해석되지만 전치사가 필요하지 않다.
그가 나의 창문에 도착했다.

7 「주어+동사+간접목적어+직접목적어」 형태의 4형식 문장이다. 동사 give 다음에 '~에게'로 해석하는 간접목적어 your puppy가 오는 것이 알맞다.
당신은 당신의 강아지에게 간식을 준다.

8 「주어+동사+보어」 형태의 2형식 문장이다. 주어 The male chuckwallas' body color의 상태를 보충 설명하는 보어 자리이므로 형용사 lighter가 알맞다.
수컷 chuckwalla의 몸통 색깔은 더 밝아진다.

UNIT 3 　동사의 종류

핵심 개념 확인　　　　　　　　　　　　　　　　　　　　　　　p. 29

1 TRUE	2 TRUE	3 TRUE	4 FALSE	5 FALSE	6 TRUE	7 FALSE	8 FALSE

UNIT 3 / 1 조동사 ①　　　　　　pp. 30-31

구조+해석　　　　　　REVIEW

1 That trip / can take / thousands of years.
　　조동사+동사원형
그 여정은 수천 년이 걸릴 수 있다.

2 Shaun / could not find / the words.
　　조동사(과거·부정)+동사원형
Shaun은 할 말을 찾을 수가 없었다.

3 It / might spoil / in the hot weather.
　　조동사+동사원형
그것은 더운 날씨에 상할지도 모른다.

4 As an added bonus, / you / might learn / something!
　　조동사+동사원형
덤으로, 당신도 무엇인가를 배울지도 모른다!

구문+서술형

5 Babies can't even sit up on their own.

6 In fact, familiarity can often lead to errors on multiple-choice exams.

7 No one could read it.

8 Fast fashion items may not cost you much at the cash register.

구조+해석　　　　　NEW SENTENCES

1 Different cultures / can exhibit / opposite attitudes /
　　조동사+동사원형
toward a given species.

각기 다른 문화들은 주어진 종에 대해 상반되는 태도들을 보일 수 있다.

2 Regular exercise / may be / the immunity-booster.
　　조동사+동사원형
규칙적인 운동은 면역력 촉진제가 될지도 모른다.

3 I / could imagine / a horrible scenario.
　　조동사(과거)+동사원형
나는 끔찍한 이야기를 상상할 수 있었다.

4 Something / might be / wrong.
　　조동사+동사원형
뭔가 잘못되었을지도 모른다.

구문+서술형

5 The students could see a ravine.

6 Larger-scale economic problems may[might] affect the person's ability.

7 I can't[cannot] deal with this now.

8 He couldn't[could not] borrow more money from any bank.

UNIT 3 / 2 조동사 ②　　　　　　pp. 32-33

구조+해석　　　　　　REVIEW

1 Participants / should prepare / their dishes /
　　조동사+동사원형
beforehand.

참가자들은 그들의 요리를 미리 준비해야 한다.

2 Friends / don't have to be / exactly alike.
　　조동사(부정)+동사원형
친구들은 꼭 비슷할 필요는 없다.

구조+해석　　　　　NEW SENTENCES

1 As consumers, / we / have to use / our own
　　조동사+동사원형
judgment.

소비자로서, 우리는 스스로 판단해야 한다.

2 All applicants / should sing / two songs.
　　조동사+동사원형
모든 지원자들은 두 곡을 불러야 한다.

3 Students / must sign up / for our program / in
  <u>조동사+동사원형</u>

advance / through our website.

학생들은 우리 웹사이트를 통해 미리 우리 프로그램에 등록해야
한다.

4 You / should never make / such assumptions /
  <u>조동사(부정)+동사원형</u>

right away.

당신은 그러한 추측을 즉시 해서는 안 된다.

5 We should strongly encourage children's
  language play.

6 Libraries must provide quietness for study and
  reading.

7 Clothing doesn't have to be expensive.

8 As investors, we should not focus on short-term
  losses.

---

3 The concern / must be / genuine.
  <u>조동사+동사원형</u>

관심은 반드시 진심이어야 한다.

4 All new employees / must gain / experience in
  <u>조동사+동사원형</u>

all departments.

모든 신입 사원들은 모든 부서에서 경험을 얻어야 한다.

5 You have to come up with an answer on the
  exam.

6 As a St. Roma student, I had to wear a green
  sweater with the school label.

7 We should not overestimate the new.

8 Individuals should make mental notes on the
  comments about their own contributions.

UNIT 3 / 3 be동사   pp. 34-35

1 The walk / will be / more interesting.
  <u>V(미래)</u>
그 산책길은 더 흥미로울 것이다.

2 In life, / too much of anything / is not / good for
  <u>V(현재 · 부정)</u>

you.

삶에서, 어떤 것이든 과도하면 당신에게 좋지 않다.

3 Dinosaurs / were / different from anything alive
  <u>V(과거)</u>

today.

공룡은 오늘날 살아 있는 그 어떤 것과도 달랐다.

4 Are / the sources of information / reliable?
  <u>V(현재)</u>
정보의 출처들은 믿을 만한가?

5 The world is a mysterious and fascinating place.

6 The colors' roles aren't always obvious.

7 I was a sailor on the Kitty Hawk.

8 The fence will never be the same.

---

1 The key difference between these two cases /

is / the level of trust.
  <u>V(현재)</u>
이 두 경우의 주요한 차이점은 신뢰 수준이다.

2 Her parents / were / very grateful.
  <u>V(과거)</u>
그녀의 부모는 매우 고맙게 생각했다.

3 Most of us / are / suspicious of rapid cognition.
  <u>V(현재)</u>
우리 대부분은 빠른 인식을 의심한다.

4 Your relationships / will be / free / from the
  <u>V(미래)</u>

poison of lies and secrets.

당신의 관계는 거짓과 비밀이라는 해악으로부터 자유로워질 것
이다.

5 Facial expressions are not[aren't] the "universal
  language of emotions."

6 Pizza and soft drinks will be available for sale.

7 Conflict is the driving force of a good story.

8 The obstacles were part of his preparation.

구조+해석   REVIEW

1 In general, / Asians / do not reach out / to strangers.
V(현재·부정)
일반적으로, 아시아인들은 낯선 사람들에게 관심을 보이지 않는다.

2 Every participant / will receive / a certificate for
V(미래)
entry!
모든 참가자는 참가 증명서를 받을 것이다!

3 I / learned / a big lesson / today.
V(과거)
나는 오늘 큰 교훈을 배웠다.

4 He / used / poor materials / and didn't put / much
V₁(과거)   V₂(과거·부정)
effort / into his last work.
그는 형편없는 건축자재들을 사용했고 그의 마지막 작업에 많은
노력을 쏟지 않았다.

구문+서술형

5 Mary went into the playhouse.

6 The toaster has a year's warranty.

7 Your subscription to *Winston Magazine* will end
soon.

8 The Amondawa tribe does not have a concept of
time.

구조+해석   NEW SENTENCES

1 At the presentation, / students / will propose / a
V(미래)
variety of ideas.
발표회에서, 학생들은 다양한 의견을 제안할 것이다.

2 Some fish species / don't need / a swim bladder.
V(현재·부정)
일부 물고기 종은 부레가 필요 없다.

3 The CEO of a large company / stepped out of / a
V(과거)
big black limousine.
큰 기업의 CEO가 큰 검정색 리무진에서 내렸다.

4 They / constantly reexamine / their theories.
V(현재)
그들은 그들의 이론을 끊임없이 재검토한다.

구문+서술형

5 People didn't[did not] give up their free will.

6 For a set of inputs, the robot will produce the
same output.

7 Unexpectedly the girl grabbed the book.

8 Opera singers and dry air don't[do not] get along.

UNIT 3 REVIEW QUIZ   p. 38

| 1 b | 2 a | 3 b | 4 b | 5 b | 6 a | 7 b | 8 a |

1 be동사의 미래형은 주어에 상관없이 will be로 나타낸다.
그것은 재미있을 것이다.

2 조동사 should는 '~해야 한다(의무)'로 해석하며, 「should+동
사원형」의 순서로 쓴다.
당신은 문제 해결 설계 계획을 세워야 한다.

3 주어는 전치사구가 수식하는 The disagreements이므로, 복수
동사 are가 알맞다.
그 문제에 관한 의견 불일치는 유럽 분열의 전형이다.

4 조동사 may의 부정형은 「may not+동사원형」으로 나타낸다.
당신은 이것을 기억하지 못할지도 모른다.

5 조동사 can은 '~할 수 있다(능력·가능)'로 해석하며, 뒤에 동사원
형이 온다.
방문객들은 기념품과 지역 공예품을 구입할 수 있다.

6 2억 년 쯤 전의 일이므로 과거형인 existed가 알맞다.
공룡은 2억 년 쯤 전에 존재했다.

7 조동사 must는 '~해야 한다(의무)'로 해석하며, 뒤에 동사원형이
온다.
아이들은 각자 자신의 노트북 컴퓨터를 가져와야 한다.

8 일반동사의 미래형은 「will+동사원형」으로 나타낸다.
기술 연습 후에, 극단은 총감독을 만날 것이다.

UNIT 4　　동사의 다양한 형태

UNIT 4　　1 진행형 be v-ing　　　　　　　　　　　　　　　　　pp. 40-41

구조+해석　　　　　　　　　　　　　　　　REVIEW

1 An old man / was coming / toward him / from
  V(과거진행)
  across the parking lot.

  한 노인이 주차장 건너편에서 그를 향해서 다가오고 있었다.

2 You / will be doing / exercise.
  V(미래진행)
  당신은 운동을 하고 있을 것이다.

3 The audience at the contest / were laughing out
  V(과거진행)
  loud / at his inability.

  그 대회에 모인 청중들은 그의 무능함을 보며 큰 소리로 웃고 있
  었다.

4 More countries / are acknowledging / nature's
  V(현재진행)
  rights.

  더 많은 나라들이 자연의 권리를 인정하고 있다.

구문+서술형

5 I was diving alone in about 40 feet of water.

6 You're awakening yourself on a spiritual level.

7 From next week, you will be working in the
  Marketing Department.

8 We are currently accepting bookings for guided
  tours.

구조+해석　　　　　　　　　　　　　NEW SENTENCES

1 Soon, / Tommy / was skating / all by himself.
  V(과거진행)
  얼마 지나지 않아, Tommy는 혼자서 스케이트를 타고 있었다.

2 Our brains / are constantly solving / problems.
  V(현재진행)
  우리의 뇌는 끊임없이 문제를 해결하고 있다.

3 We / are looking for / T-shirt designs / for the
  V(현재진행)
  Radio Music Festival.

  우리는 Radio Music Festival을 위한 티셔츠 디자인을 찾고
  있다.

4 The animal / was protecting / me.
  V(과거진행)
  그 동물은 나를 보호해 주고 있었다.

구문+서술형

5 I was sinking

6 we are moving too fast

7 People were smiling

8 Many companies are hiring employees

UNIT 4　　2 완료형 have p.p.　　　　　　　　　　　　　　　pp. 42-43

구조+해석　　　　　　　　　　　　　　　　REVIEW

1 China / has had / only a single writing system /
  V(현재완료)
  from the beginning.

  중국은 처음부터 단 하나의 문자 체계를 가지고 있어 왔다.

구조+해석　　　　　　　　　　　　　NEW SENTENCES

1 Europe / has never come / close / to political
  V(현재완료 · 부정)
  unification.

  유럽은 정치적 통일에 결코 근접한 적이 없었다.

2 By 1906, / he / had moved / to New York / and
V₁(과거완료)

was taking jobs.
V₂(과거진행)

1906년 즈음에, 그는 New York으로 이사했고 여러 가지 일을 하고 있었다.

3 From the beginning of human history, / people /

have asked / questions about the world.
V(현재완료)

인류 역사의 시작부터, 사람들은 세상에 관한 질문들을 해 왔다.

4 He / had just come / from the car wash / and was
V₁(과거완료)

waiting for / his wife.
V₂(과거진행)

그는 방금 세차장에서 나와서 아내를 기다리고 있었다.

구문+서술형

5 His father had been in jail.

6 Since the new millennium, businesses have experienced more global competition.

7 Her mother had never made a mistake in any of her performances.

8 Your mind has not yet adapted to this relatively new development.

2 We humans / have become / the earth's dominant
V(현재완료)

species.

우리 인간은 지구의 지배적인 종이 되었다.

3 Kenge / had lived / his entire life / in a dense
V(과거완료)

jungle.

Kenge는 무성한 정글에서 평생을 살았었다.

4 My wife and I / have lived / in Smalltown / for
V(현재완료)

more than 60 years.

나의 아내와 나는 60년 이상 Smalltown에서 살아 왔다.

구문+서술형

5 One of the brothers had left the bill on the counter

6 no one's position has improved

7 Ashley has displayed a very strong commitment

8 had just won the state championship

UNIT 4 / 3 수동태 be p.p.

pp. 44~45

구조+해석　　　　　　　　REVIEW

1 In the classical fairy tale / the conflict / is often
V(현재 수동태)

permanently resolved.

고전 동화에서 갈등은 흔히 영구적으로 해결된다.

2 Winners / will be announced / on March 27, 2020.
V(미래 수동태)

수상자는 2020년 3월 27일에 발표될 것이다.

3 In all cases, / 15 of the problems / were solved /
V(과거 수동태)

correctly.

모든 경우에, 15개의 문제들이 정확하게 해결되었다.

4 This position / is not generally shared.
V(현재 수동태·부정)

이 견해는 일반적으로 공유되지 않는다.

구조+해석　　　　　NEW SENTENCES

1 People / are not always defined / by their
V(현재 수동태·부정)

behavior.

사람들이 항상 그들의 행동으로 정의되는 것은 아니다.

2 You / will be left / behind / in the race of life.
V(미래 수동태)

당신은 인생이라는 경주에서 뒤처지게 될 것이다.

3 The first underwater photographs / were taken /
V(과거 수동태)

by an Englishman.

최초의 수중 사진은 영국인에 의해 촬영되었다.

4 The meeting / is never rescheduled / at a
V(현재 수동태·부정)

different time.

그 회의는 결코 다른 시간으로 일정이 변경되지 않는다.

구문+서술형

5 Debbie was greeted by all of the flight attendants.

6 This kind of electricity is produced by friction.

7 Shoes will be picked up on Tuesdays every two weeks.

8 Many of his plays were rewritten after their original composition.

구문+서술형

5 A free bluetooth headset will be given

6 the answers to the most basic questions were found in religion

7 Your body language signals are disconnected

8 was not received by the German executives

UNIT 4 / 4 수동태의 진행형, 완료형

구조+해석   REVIEW

1 The object / had been transferred / to the second box.
   V(과거완료 수동태)

그 물건은 두 번째 상자에 옮겨져 있었다.

2 Unfortunately, / many Joshua trees / have been dug up.
            V(현재완료 수동태)

불행히도, 많은 Joshua tree가 파헤쳐졌다.

3 It / was being taped.
   V(과거진행 수동태)
그것은 녹화되고 있었다.

4 His works / have been widely read / and still enjoy / great popularity.
     V₁(현재완료 수동태)   V₂(현재)

그의 작품들은 널리 읽혀왔고 여전히 큰 인기를 누린다.

구조+해석   NEW SENTENCES

1 They / have been exposed / repeatedly / to "background noise" / since early childhood.
    V(현재완료 수동태)

그들은 어린 시절부터 '배경 소음'에 반복적으로 노출되어 왔다.

2 Your body / is being overworked.
       V(현재진행 수동태)
당신의 몸은 혹사되고 있다.

3 The effect of dams / has been observed / on salmon.
        V(현재완료 수동태)

그 댐의 영향은 연어에서 관찰되어 왔다.

4 This method / is now being used / all over the world.
      V(현재진행 수동태)

이 방법은 지금 전 세계적으로 사용되고 있다.

구문+서술형

5 Central America has been hit by a series of hurricanes.

6 The obstacles had been placed in his path.

7 My arm was being lifted forcibly.

8 One of her novels has been translated into more than eighty languages.

구문+서술형

5 it had never been directed

6 This same finding has been observed

7 the wound had been treated

8 many more are being added every day

구조+해석   REVIEW

1 The evidence / is based on / the personal opinions
수동태+전치사
⟨from a small sample⟩.

그 증거는 소수의 표본에서 얻은 개인적 의견에 근거한다.

2 Another group of students / is involved in /
수동태+전치사
traditional research techniques.

다른 그룹의 학생들은 전통적인 조사 기법에 참여한다.

3 The boy's parents / were concerned about / his
수동태+전치사
bad temper.

그 소년의 부모는 그의 못된 성질을 걱정했다.

구조+해석   NEW SENTENCES

1 At that time, / I / was excited about / boats.
수동태+전치사
그 당시에, 나는 보트로 인해 흥분해 있었다.

2 One variable / is related to / a second variable.
수동태+전치사
하나의 변인은 제2의 변인과 관계가 있다.

3 People / are engaged in / service to others.
수동태+전치사
사람들은 다른 사람들에게 봉사하는 일에 종사한다.

구문+서술형

4 Life is filled with a lot of risks and challenges.

5 Most people were frightened of flying.

6 Constant exposure to noise is related to children's academic achievement.

구문+서술형

4 The quality of the decision is directly related to the effort.

5 That shelf is filled with healthy snacks.

6 She was known as the "Barefoot Diva."

UNIT 4 REVIEW QUIZ   p. 50

1 b	2 a	3 a	4 a	5 b	6 a	7 a	8 b

1 「was/were+v-ing」 형태의 과거진행형이 되도록 were asking을 써야 한다.
귀하는 새 토스터나 환불을 요구하셨습니다.

2 '~와 관계가 있다'라는 의미의 수동태 표현은 be related to로 by 이외의 전치사를 사용한다.
분명하게, 제3의 변인은 둘 다와 관련이 있다.

3 「had+p.p.」 형태의 과거완료가 되도록 과거분사 observed를 써야 한다.
사람들은 태초 이래로 무지개를 관찰해 왔다.

4 문맥상 '영향을 받았다'라는 의미가 자연스러우므로 과거 수동태 was influenced를 써야 한다.
그녀의 어린 시절은 아버지의 역사적 지식에 영향을 받았다.

5 「am/is/are+p.p」 형태의 현재 수동태가 되도록 과거분사 held를 써야 한다.
이 생동감 넘치는 시장은 7월 매주 토요일에 열린다.

6 「have+been+p.p.」 형태의 현재완료 수동태가 되도록 과거분사 asked를 써야 한다.
우리는 여기의 몇몇 주민들로부터 부탁을 받았다.

7 「have+p.p.」 형태의 현재완료가 되도록 과거분사 depended를 써야 한다.
사람들은 식량의 공급을 위해 타인들의 협력에 의존해 왔다.

8 진행 수동태는 「be동사+being+p.p.」 형태로 써야 한다.
그것은 다른 것에 의해 잡아먹히고 있지 않다.

UNIT 5 동사의 주어, 목적어, 보어 역할

1 TRUE	2 FALSE	3 TRUE	4 FALSE	5 TRUE	6 TRUE	7 FALSE	8 FALSE

UNIT 5 / 1 동사가 주어로 변신

구조+해석   REVIEW

1 Putting your plan down on paper / will clarify / your thoughts.
S(동명사구) / V

계획을 종이에 적는 것은 여러분의 생각들을 분명하게 해줄 것이다.

2 Studying history / can make / you / more knowledgeable.
S(동명사구) / V

역사를 공부하는 것은 여러분을 더 유식하게 만들어 줄 수 있다.

3 It / is / a mistake / to reward all of your child's accomplishments.
S(가주어) / V / S'(진주어: to부정사구)

당신 자녀의 모든 성취에 대해 보상하는 것은 실수이다.

4 To take risks / means [you will succeed sometime] but never to take a risk / means [that you will never succeed].
S₁(to부정사구) / V₁ / S₂(to부정사구) / V₂

위험을 무릅쓰는 것은 당신이 언젠가 성공할 것임을 의미하지만 위험을 전혀 무릅쓰지 않는 것은 당신이 결코 성공하지 못할 것임을 의미한다.

구조+해석   NEW SENTENCES

1 It / is / easy / to judge people based on their actions.
S(가주어) / V / S'(진주어: to부정사구)

행동을 기반으로 사람들을 판단하는 것은 쉽다.

2 Reading more / is / a good habit.
S(동명사구) / V

더 많은 독서를 하는 것은 좋은 습관이다.

3 Investing in the stock market / is / a risk.
S(동명사구) / V

주식 시장에 투자하는 것은 모험이다.

4 Seeking closeness and meaningful relationships / has long been / vital / for human survival.
S(동명사구) / V

친밀함과 의미 있는 관계를 추구하는 것은 오랫동안 인간의 생존에 필수적이었다.

구문+서술형

5 Experiencing physical warmth promotes interpersonal warmth.

6 Introducing a new product category is difficult.

7 Having friends with other interests keeps life interesting.

8 It is not easy to distinguish between male and female chuckwallas.

구문+서술형

5 Dining was a sign of the human community and differentiated men from beasts.

6 It is impossible to be skilled in all of them.

7 Thinking about it this way overlooks debt among people in low-income brackets.

8 In Franklin's opinion, asking someone for something was the most useful and immediate invitation.

구조+해석 REVIEW

1 God / was enjoying / listening to the sound of the
O(동명사구)
frog.

신은 그 개구리의 소리를 듣는 것을 즐기고 있었다.

2 We / must pay the price / for achieving the greater
전치사의 목적어(동명사구)
rewards.

우리는 더 큰 보상을 성취하기 위해 대가를 지불해야 한다.

3 Toby / vowed / not to forget the boy.
O(to부정사구)
Toby는 그 소년을 잊지 않기로 맹세했다.

4 We / hope / to give some practical education to
O(to부정사구)
our students / in regard to industrial procedures.

우리는 산업 절차와 관련해 학생들에게 몇 가지 실제적인 교육을
하기를 희망한다.

구문+서술형

5 The organization agreed to transport the T-shirts
on their next trip to Africa.

6 You can expect to find toys for children from
birth to teens.

7 As consumers we have to avoid taking advertising
claims too seriously.

8 We are looking forward to seeing excellent work
from you.

구조+해석 NEW SENTENCES

1 By living true to yourself, / you'll avoid / a lot of
전치사의 목적어(동명사구)
headaches.

자신에게 진실하게 삶으로써, 여러분은 많은 골칫거리들을 피
할 것이다.

2 Grand Park Zoo / offers / to explore the amazing
O(to부정사구)
animal kingdom!

대공원 동물원은 놀라운 동물 왕국을 탐험하는 것을 제공합니다!

3 He / agreed / to supply tons of food to the
O(to부정사구)
starving Polish people.

그는 굶주리는 폴란드 국민들에게 수십 톤의 식량을 공급하는
것에 동의했다.

4 Keep / working on one habit long enough.
O(동명사구)
계속하여 하나의 습관을 충분히 오래 들이려고 해라.

구문+서술형

5 We look forward to seeing you there.

6 Fred did not win any points by telling a few jokes.

7 You must decide to forget and let go of your past.

8 After all, you choose to be happy or miserable.

구조+해석 REVIEW

1 Later, / you / can start / to love them again.
V O(to부정사구)
나중에, 여러분은 다시 그들을 사랑하기 시작할 수 있을 것이다.

2 Kevin / said, / "Thanks," / and continued / wiping
V₁ V₂
off his car.
O(동명사구)
Kevin은 "고맙습니다."라고 말하고서 자신의 차를 계속 닦았다.

구조+해석 NEW SENTENCES

1 A person and a chimp / start / running.
V O(동명사)
사람과 침팬지 한 마리가 달리기 시작한다.

2 He / forgot / to give them knees.
V O(to부정사구)
그는 그들에게 무릎을 만들어 주는 것을 잊었다.

3 The first experimenter / tried / retrieving the

object from the first box.
_V _{O(동명사구)}

첫 번째 실험자는 처음 상자에서 그 물건을 다시 꺼내려고 해 보았다.

4 He / had unfortunately forgotten / to include the
_V _{O(to부정사구)}

check.

그는 유감스럽게도 그 수표를 동봉하는 것을 잊었었다.

---

3 A bit later, / the car behind / started / to flash its
_V _{O(to부정사구)}

lights at us.

잠시 후, 뒤쪽의 자동차가 우리에게 차량 조명을 비추기 시작했다.

4 The AI robot / may try / to push the obstacle out
_V _{O(to부정사구)}

of the way, / or make up a new route, / or change

goals.

AI 로봇은 경로에서 장애물을 밀어내거나 새로운 경로를 만들거나 목표를 바꾸려고 노력할지도 모른다.

---

5 The people hated having kangaroo tails and no knees.

6 Try finding pleasure in creating things rather than buying things.

7 He tried to keep his promise.

8 Most young people like to combine a bit of homework with quite a lot of instant messaging.

---

5 He remembered to bow the head slightly.

6 I forgot to give an answer.

7 We try to find answers to the questions of cultural diversity.

8 They started to walk[walking] along the road.

UNIT 5   4 동사가 주격보어로 변신   pp. 58-59

1 The best way / is / to contrast an argument with
_S _{C(to부정사구)}

an opinion.

가장 좋은 방법은 논증을 의견과 대조하는 것이다.

2 His dream / was / to be a professional baseball
_S _{C(to부정사구)}

player.

그의 꿈은 프로 야구 선수가 되는 것이었다.

3 The challenge for educators / is / to ensure
_S _{C(to부정사구)}

individual competence in basic skills.

교육자의 도전 과제는 기본적인 기술에서의 개별 능력을 보장하는 것이다.

4 It / was / amazing.
_S _{C(현재분사)}

그것은 놀라웠다.

---

1 The purpose of setting goals / is / to win the
_S _{C(to부정사구)}

game.

목표를 설정하는 목적은 경기에서 이기는 것이다.

2 Fluorescent lighting / can also be / tiring.
_S _{C(현재분사)}

형광등은 또한 피로감을 줄 수 있다.

3 The student / was / surprised, / and thanked /
_S _{C(과거분사)}

him / heartily.

그 학생은 놀랐고, 그에게 진심으로 감사했다.

4 The results / never seem / to come quickly.
_S _{C(to부정사구)}

그 결과는 결코 빨리 오지 않는 것 같다.

5 Their job was to look into the pipe and fix the leak.

6 "Mixed-signals" can be confusing.

7 Small changes don't seem to matter very much in the moment.

8 Serene was surprised.

5 The only way is to walk out of the room and come back in again.

6 Young Mary was very excited.

7 This feedback will often be encouraging.

8 Flies seemed to avoid landing on the stripes.

UNIT 5 / 5 동사가 목적격보어로 변신 ① pp. 60-61

1 He / asked / the great pianist Igancy Paderewski
       O
/ to come and play.
   C(to부정사구)
그는 위대한 피아니스트 Igancy Paderewski에게 와서 연주해 달라고 요청했다.

2 Her smile / made / me / smile and feel really
      O   C(원형부정사구)
good inside.
그녀의 미소는 내가 미소 짓도록 그리고 정말 좋은 기분이 들도록 만들었다.

3 One group of subjects / saw / the person / solve
              O
more problems correctly.
C(원형부정사구)
한 실험 대상자 집단은 그 사람이 더 많은 문제들을 정확하게 푸는 것을 보았다.

4 Emoticons / allowed / users / to correctly
         O   C(to부정사구)
understand the level of emotion.
이모티콘이 사용자들로 하여금 감정의 정도를 정확하게 이해하는 것을 가능하게 했다.

1 Teachers in the past / encouraged / students /
              O
to acquire teamwork skills.
C(to부정사구)
과거의 교사들은 학생들이 팀워크 기술들을 배우는 것을 권장했다.

2 I / heard / someone / say, / "Today's your lucky
       O   C(원형부정사)
day!"
나는 어떤 사람이 "오늘 운이 좋은 날이군요!"라고 말하는 것을 들었다.

3 Lots of muscles in our faces / enable / us / to
             O
move our face into lots of different positions.
C(to부정사구)
우리의 얼굴에 있는 많은 근육들이 우리가 우리의 얼굴을 많은 다른 위치로 움직일 수 있게 한다.

4 Suddenly, / I / saw / a hand / reach out from
           O   C(원형부정사구)
between the steps and grab my ankle.
갑자기, 나는 손 하나가 계단 사이로부터 뻗어 나와서 내 발목을 잡는 것을 보았다.

5 This approach can help you escape uncomfortable social situations.

6 Experts advise people to take the stairs instead of the elevator.

7 That ability let our ancestors outmaneuver and outrun prey.

8 Andrew Carnegie once heard his sister complain about her two sons.

5 A teenager saw me kick a tire in frustration.

6 Their extended period between hatching and flight from the nest enables them to develop intelligence.

7 Steinberg and Gardner randomly assigned some participants to play alone.

8 He told me not to tell such stupid lies.

구조+해석　　　　　REVIEW

1 I / find / my whole body / loosening up / and at
ease.
나는 내 온몸이 긴장이 풀리고 있고 편안해짐을 알게 된다.

2 They / see / one employee / going about a task
differently than another.
그들은 한 직원이 다른 사람과 다르게 과업을 시작하고 있는 것을 본다.

3 You / will feel / your spirit / lifted.
당신은 당신의 감정이 북돋아지는 것을 느낄 것이다.

4 He / found / some of the workers / not wearing
their hard hats.
그는 몇몇 작업자들이 안전모를 쓰고 있지 않은 것을 발견했다.

구문+서술형

5 I saw something creeping toward me.

6 I saw a brand new cell phone sitting right next to
me.

7 Many people find themselves returning to their
old habits.

8 We found a generator parked right outside of our
house.

구조+해석　　　　　NEW SENTENCES

1 Don't leave / the reader / guessing about Laura's
beautiful hair.
독자가 Laura의 아름다운 머리카락에 대해 추측하게 두지 마라.

2 We / notice / it / popping up again and again.
우리는 그것이 반복적으로 불쑥 나타나는 것을 알아차린다.

3 Leave / good foods like apples and pistachios /
sitting out / instead of crackers and candy.
크래커와 사탕 대신 사과와 피스타치오 같은 좋은 음식이 나와 있도록 해라.

4 You / see / your friend / smiling and engaging
you with friendly eye contact.
당신은 당신의 친구가 미소를 지으며, 친근한 눈 맞춤으로 당신의 관심을 끄는 것을 본다.

구문+서술형

5 He found himself sitting next to an old woman.

6 She saw the rain slowly beginning to fade.

7 I once watched Grandfather looking at a bush.

8 At that time I saw Justin heading my way.

REVIEW QUIZ　　　　　p. 64

1 a	2 b	3 a	4 a	5 b	6 a	7 a	8 a

1 동사 seem은 to부정사를 주격보어로 쓰므로 to pass가 알맞다.
시간은 나이가 더 많은 사람들에게 더 빨리 가는 것 같았다.

2 동사가 주어 자리에 오려면 형태를 바꿔야 하므로 동명사구
Building on positive accomplishments가 알맞다.
긍정적인 성과를 바탕으로 하면 긴장감을 줄일 수 있다.

3 동사 keep은 동명사만을 목적어로 쓰므로 singing이 알맞다.
그는 계속 노래를 불렀고, 그 파리가 그의 코에 다시 내려앉았다.

4 앞이 막힌 신발을 '신고 올 것을 잊지 마라'는 의미가 자연스러우므로 「forget+to부정사」가 알맞다. 「forget+동명사」는 '~했던 것을 잊다'의 의미이다.
앞이 막힌 신발을 신고 오는 것을 잊지 마라.

5 동사 decide는 to부정사만을 목적어로 쓰므로 to use가 알맞다.
나도 당신처럼 친절한 말을 더 많이 쓰기로 했다.

6 전치사의 목적어로 동명사를 쓰므로 controlling이 알맞다.
우리들은 기대감을 통제함으로써 만족감을 향상시킬 수 있다.

7 지각동사 see는 목적격보어로 원형부정사를 쓰므로 perform이 알맞다.
그 집단은 그 사람이 초반의 예제에서 더 잘 수행하는 것을 보았다.

8 동사 tell은 목적격보어로 to부정사만을 쓸 수 있으므로 to be가 알맞다.
그 성자는 개구리에게 조용히 하라고 말한다.

핵심 개념 확인　　　　　　　　　　　　　　　　　　　　　　　　p. 65

1 TRUE	2 TRUE	3 FALSE	4 FALSE	5 TRUE	6 FALSE	7 TRUE	8 FALSE

UNIT 6 ／ 1 동사가 수식어(형용사)로 변신 ①　　　pp. 66–67

구조+해석　　　　　　　REVIEW

1 We / begin / to lose the ability ⟨to keep eye contact⟩
to부정사구
around 20 miles per hour.

우리는 (운전 중에) 시속 20마일 정도에서 시선을 마주치는 능력을 잃기 시작한다.

2 Time pressures ⟨to make these last-minute changes⟩
to부정사구
can be / a source of stress.

이렇게 마지막 순간에 변경을 해야 하는 시간적 압박은 스트레스의 원인이 될 수 있다.

3 He / has / no one ⟨to blame⟩ but himself / for some
to부정사
problem.

그는 어떤 문제에 대해 자신 외에 탓할 사람이 아무도 없다.

4 Dorothy Hodgkin / became / the first woman ⟨to
receive the Copley Medal⟩.
to부정사구
Dorothy Hodgkin은 Copley 메달을 수상한 최초의 여성이 되었다.

구문+서술형

5 Everyone has something to be happy about.

6 It was an unfortunate way to end his lifelong career.

7 There would be nothing to figure out and there would be no reason for science.

8 There is no one to stand up and cheer you on.

구조+해석　　　　　　NEW SENTENCES

1 We / need / to do something ⟨to help people⟩.
to부정사구
우리는 사람들을 도울 뭔가를 할 필요가 있다.

2 Human beings / are driven / by a natural desire ⟨to
form and maintain interpersonal relationships⟩.
to부정사구
인간은 대인 관계를 형성하고 유지하려는 타고난 욕구에 의해 움직인다.

3 This / will give / your body / the opportunity ⟨to
fill up on better options⟩.
to부정사구
이것은 당신의 몸을 더 나은 선택사항들로 채울 기회를 줄 것이다.

4 The slave / searched for / herbs ⟨to cure the
to부정사구
lion's wound⟩ and took care of / the lion.

그 노예는 사자의 상처를 치료해 줄 약초를 찾아서 그 사자를 돌봐주었다.

구문+서술형

5 Food labels are a good way to find the information about the foods.

6 His life on the road conflicted with his ability to be a quality husband and dad.

7 One way to get the word out is through an advertising exchange.

8 You'll[You will] have a motivator to get going on those things.

구조+해석 REVIEW

1 The square / was / empty / except for a black cat
〈staring at me with a scary, sharp look〉.
　└ 현재분사구
광장은 무섭고 날카로운 표정으로 나를 응시하는 검은 고양이를
제외하고는 텅 비어 있었다.

2 The repeated experience / brings back / the
　　　└ 과거분사 →
initial emotions 〈caused by the book〉.
　　　　　　　└ 과거분사구
반복된 경험은 책을 통해 생겨난 처음의 감정을 되살려 준다.

3 Individuals / should make / written notes / on the
　　　　　　　　　　　　└ 과거분사 →
positive comments / about their own personal
contributions.
개인들은 그들의 개인적인 기여에 대한 긍정적인 의견을 글로 쓴
메모로 만들어야 한다.

4 For a chance to win science goodies, / just submit /
a selfie of yourself 〈enjoying science outside of
　　　　　　　　　　　└ 현재분사구
school〉!
상으로 좋은 과학 용품을 받을 기회를 얻으려면, 학교 밖에서 과
학을 즐기는 자신의 셀카 사진을 제출하기만 하면 된다!

구문+서술형

5 We must pay the price for achieving the greater
rewards lying ahead of us.

6 This is the daily experience of parents troubled
by constant quarreling between toddlers.

7 Rereading brings renewed understanding of the
book.

8 He pointed at a girl walking up the street.

구조+해석 NEW SENTENCES

1 We / see / lots of casualties / worldwide, 〈resulting
　　　　　　　　　　　　　　　　　　　└ 현재분사구
from the lack of education〉.
우리는 전 세계에서 교육의 부족으로 인해 생긴 수많은 피해자
들을 본다.

2 A teacher / received / a letter from a student, 〈asking
　　　　　　　　　　　　└ 현재분사구
fourteen unrelated questions on a variety of
subjects〉.
어떤 교사가 한 학생으로부터 다양한 주제에 관한 서로 관련 없
는 14개의 질문을 하고 있는 편지를 받았다.

3 The researchers / assigned / the boys / to teams
〈made up of members of both groups〉.
　└ 과거분사구
그 연구자들은 그 소년들을 두 그룹의 일원들로 구성된 팀에 배
정했다.

4 A god 〈called Moinee〉 was defeated / by a rival
　　　　　└ 과거분사구
god 〈called Dromerdeener〉.
　　　└ 과거분사구
Moinee라는 신이 경쟁하는 Dromerdeener라는 신에게 패
배했다.

구문+서술형

5 Chinese is the most spoken language worldwide.

6 The natural world provides a rich source of
symbols used in art and literature.

7 A fish fills its bladder with oxygen collected from
the surrounding water.

8 34 chimpanzees and orangutans participating in a
study were each individually tested in a room.

구조+해석 REVIEW

1 You / don't need / complex sentences / to express
　　　　　　　　　　　　　　　　　　　└ to부정사구(목적)
ideas.
당신은 생각을 표현하기 위해 복잡한 문장들이 필요하지는 않다.

구조+해석 NEW SENTENCES

1 Short press / to confirm; / long press / to enter
　　　　　　　└ to부정사(목적)　　　　　　　　└ to부정사구(목적)
the sports mode.
(설정값을) 확정하려면 짧게 누르시오; 스포츠 모드로 들어가려
면 길게 누르시오.

2 He / will be / foolish / <u>to stick to his old vision</u> / in
to부정사구(판단의 근거)
the face of new data.

새로운 데이터 앞에서 그의 기존의 비전을 고수하다니 그는 어리석을 것이다.

3 <u>To rise,</u> / a fish / must reduce / its overall density, /
to부정사(목적)
and most fish / do / this / with a swim bladder.

부상(浮上)하기 위해서, 물고기는 자신의 총 밀도를 낮춰야 하는데, 대부분의 물고기는 부레를 통해 이렇게 한다.

4 Toby Long / turned around / <u>to find an Ethiopian</u>
to부정사구(결과)
<u>boy standing behind him.</u>

Toby Long은 몸을 돌려서 자신의 뒤에 서 있는 에티오피아 소년을 발견했다.

2 We / are / thrilled / <u>to welcome you</u> / to the Grand
to부정사구(감정의 원인)
Opening of the Raleigh store.

우리는 Raleigh 매장의 개업식에 귀하를 모시게 되어 매우 기쁩니다.

3 She / picked up / the pot's lid / and covered / the
pot / with it / <u>to put out the flames.</u>
to부정사구(목적)
그녀는 불을 끄려고 냄비 뚜껑을 집어 들어서 그것으로 냄비를 덮었다.

4 Cable providers and advertisers / will eventually
be forced / to provide incentives / <u>in order to</u>
to부정사구(목적)
<u>encourage consumers to watch their messages.</u>

결국 구매자들이 메시지를 보도록 장려하기 위해 유선방송 공급자와 광고주들은 유인책을 제공할 수밖에 없을 것이다.

구문+서술형

5 Consumers are usually motivated to use a lot of strategies to reduce risk.

6 They change their names to reflect their position within their society.

7 As the only new kid in the school, she was pleased to have a lab partner.

8 Moinee fell out of the stars down to Tasmania to die.

구문+서술형

5 Clothing doesn't have to be expensive to provide comfort during exercise.

6 About two billion years later, cells joined together to form more complex cells.

7 We have to consider all of it in order to make a decision.

8 Milton Dance Studio is pleased to offer your kids the opportunity to learn dancing during the summer.

UNIT 6 / 4 동사가 수식어(부사)로 변신 ②

구조+해석   REVIEW

1 Joshua trees / are / <u>hard ⟨to eat⟩</u> by today's
to부정사(형용사 수식)
standards.

Joshua tree는 오늘날의 기준으로는 먹기 힘들다.

2 These microplastics / are / very <u>difficult ⟨to</u>
<u>measure⟩.</u>
to부정사(형용사 수식)
이러한 미세 플라스틱은 측정하기가 매우 어렵다.

구조+해석   NEW SENTENCES

1 The price / is still / <u>too expensive ⟨to be paid all</u>
too+형용사+to부정사구
<u>at once⟩.</u>

그 가격은 한 번에 모두 지불되기에는 여전히 너무 비싸다.

2 By choosing to overcome challenges, / he / was /
<u>ready ⟨to make the leap⟩.</u>
to부정사구(형용사 수식)
도전을 극복하는 것을 선택함으로써, 그는 도약할 준비가 되어 있었다.

3 To be a bit more specific, [the normal robot / shows /
to부정사구(관용 표현)
deterministic behaviors].

좀 더 구체적으로 말해서, 보통 로봇은 이미 정해진 행동을 보인다.

3 Americans / seem / particularly easy ⟨to meet⟩.
to부정사
(형용사 수식)
미국인들은 만나는 것이 특히 쉬워 보인다.

4 A single decision is easy to ignore.

5 Amy was too surprised to do anything but nod.

6 Overeating in those times was essential to ensure survival.

7 Birdseye's curiosity was strong enough to lift him out of the routine way of seeing things.

4 They are small enough to pass through the nets.

5 Your firm is ideal to carry out such a project.

6 An elderly carpenter was ready to retire.

7 Most of the world's population today has plenty of food available to survive and thrive.

UNIT 6 / 5 분사구문
pp. 74-75

구조+해석 — REVIEW

1 Your feet / can actually be / different sizes / at different times of the day, ⟨getting larger and returning to "normal" by the next morning⟩.
분사구문(동시동작)

당신의 발은 커졌다가 다음 날 아침에 '정상'으로 돌아오면서, 사실상 하루 중 시간에 따라 크기가 다를 수도 있다.

2 ⟨Faced with the choice / of walking down an empty or a lively street⟩, most people / would choose / the street with life and activity.
분사구문(수동·조건)

텅 빈 거리 혹은 활기찬 거리를 걷기라는 선택에 직면하면, 대부분의 사람들은 활기찬 거리를 선택할 것이다.

3 ⟨After having spent that night in airline seats⟩, the company's leaders / came up with / some "radical innovations."
시간 접속사+분사구문(완료)

비행기 좌석에서 그날 밤을 보낸 후, 임원들은 '획기적인 혁신안'을 생각해 냈다.

4 Dorothy / told / her, ⟨sobbing and sniffing⟩.
분사구문(동시동작)
Dorothy는 흐느껴 울면서 코를 훌쩍거리며 그녀에게 말했다.

구조+해석 — NEW SENTENCES

1 You / may fight back, ⟨reacting immediately⟩.
분사구문(동시동작)
당신은 즉시 반응하면서 반격할 수도 있다.

2 I / walked across / to a cafe / and sat down / at a table, ⟨putting my bag / on the seat beside me⟩.
분사구문(연속동작)
나는 카페로 건너가 테이블에 앉아 내 가방을 옆자리에 놓았다.

3 ⟨Still amazed by his success⟩, he / was / now / in the finals.
분사구문(수동·동시동작)

아직 자신의 성공에 놀란 상태로, 그는 이제 결승전에 서게 되었다.

4 ⟨Called "Give the Shirt Off Your Back⟩," Toby's campaign / soon collected / over ten thousand T-shirts.
분사구문(수동·동시동작)

'Give the Shirt Off Your Back'이라고 불리었던 Toby의 캠페인은 곧 만 장이 넘는 티셔츠를 모았다.

5 One student chose to avoid the obstacles, taking the easier path to the end.

6 Armed with scientific knowledge, people build tools and machines.

7 Wanting to make the best possible impression, the American company sent its most promising young executive.

5 yelling out to her

6 When faced with a problem

7 when buying new shoes

UNIT 6 REVIEW QUIZ p. 76

| 1 b | 2 a | 3 b | 4 b | 5 a | 6 a | 7 a | 8 b |

1 명사구 a reply card를 수식하는 형용사 수식어로 to부정사가 알맞다. for you는 to부정사의 의미상 주어이다.
저희는 당신이 작성할 회신용 카드를 보냈습니다.

2 '공급하는'이라는 능동의 의미를 나타내는 현재분사 supplying이 알맞다.
그러한 비상사태 중 하나는 캠프에 물을 공급하는 파이프가 새는 경우를 포함했다.

3 '태어난'이라는 수동의 의미를 나타내는 과거분사 born이 알맞다.
미국에서 태어난 사람들은 정보를 잘 공개하려는 경향이 있다.

4 명사구 enough money를 수식하는 형용사 수식어로 to부정사 구가 알맞다.
Kevin은 그에게 따뜻한 식사를 할 만큼 충분한 돈을 주었다.

5 '~하기 위해'의 의미로 목적을 나타내는 「in order+to부정사」가 알맞다.
그것을 알기 위해 누군가는 무언가를 봐야 한다.

6 '차를 닦으며'라는 능동의 의미로 동시동작을 나타내는 분사구문이 되도록 현재분사 wiping이 알맞다.
Kevin은 차를 닦으며 쇼핑몰 앞에 있었다.

7 '제시된'이라는 수동의 의미를 나타내는 과거분사 presented가 알맞다.
스토리텔러들에 의해서 제시된 자료가 훨씬 더 많은 흥미를 지닌다.

8 '스스로가 놀랄 정도'라는 능동의 의미로 동시동작을 나타내는 분사구문이 되도록 현재분사 surprising이 알맞다.
그 자신이 놀랄 정도로, 그 소년은 처음 두 경기를 쉽게 승리했다.

UNIT 7 절의 주어, 목적어, 보어 역할

1 FALSE	2 TRUE	3 TRUE	4 TRUE	5 FALSE	6 FALSE	7 FALSE	8 TRUE

UNIT 7   1 절의 주어 역할   pp. 78-79

구조+해석   REVIEW

1 [How a person approaches the day] impacts /
<u>S(의문사절)</u>
everything else in that person's life.

어떤 사람이 하루를 어떻게 접근하는가는 그 사람의 삶의 다른 모든 부분에 영향을 준다.

2 [What kept all of these people going] was / their
<u>S(What절)</u>
passion for their subject.

이 모든 사람들을 견디게 했던 것은 자신들의 주제에 대한 열정이었다.

3 [Whether I liked living in a messy room or not]
<u>S(Whether절)</u>
was / another subject.

내가 어질러진 방에서 지내는 것을 좋아하는지 아닌지는 다른 문제였다.

구문+서술형

4 What they find most bothersome is time.

5 How visual input can override taste and smell is perhaps surprising.

6 That you can multitask at once may be true.

구조+해석   NEW SENTENCES

1 It's / possible [that they will absorb the wrong
<u>S(가주어)</u>   <u>S'(진주어: that절)</u>
lesson].

그들이 잘못된 교훈을 받아들일 가능성이 있다.

2 [What this example teaches us] is: / English is
<u>S(What절)</u>
no longer just "one language."

이 사례가 우리에게 가르쳐 주는 것은 영어가 더 이상 '단일 언어'가 아니라는 것이다.

3 [What they saw as a thirst for killing] was / really
<u>S(What절)</u>
determination.

사람들이 (늑대의) 죽이고 싶어 하는 욕망이라고 여겼던 것은 사실은 (굳은) 결의였다.

구문+서술형

4 What you and your spouse need is quality time to talk.

5 It was obvious that my son's teammate needed help.

6 What is different today is the speed and scope of these interactions.

UNIT 7   2 절의 목적어 역할 ①   pp. 80-81

구조+해석   REVIEW

1 I / believe [the second decade of this new century
<u>O(that절: that 생략)</u>
is already very different].

나는 이 새로운 세기의 두 번째 10년은 이미 매우 다르다고 믿는다.

구조+해석   NEW SENTENCES

1 I / realized [something strange was happening].
<u>O(that절: that 생략)</u>
나는 이상한 어떤 일이 일어나고 있다는 것을 깨달았다.

2 After more thought, / he / made [what many

considered an unbelievable decision].

<u>O(what절)</u>

더 많이 생각한 후에, 그는 많은 사람들이 믿을 수 없다고 여기는 결정을 했다.

3 Many people / think of [what might happen in

the future] based on past failures.

<u>O(what절)</u>

많은 사람들은 과거의 실패에 근거하여 미래에 일어날 수 있는 것을 생각한다.

2 In some cases / they / even taught / themselves

[what they knew about their particular subject].

<u>DO(what절)</u>

어떤 경우에 그들은 자신들의 특정한 주제에 대해 자신들이 알고 있는 것을 독학하기까지 했다.

3 This tendency / means [that the true potential

of new technologies may remain unrealized].

<u>O(that절)</u>

이 경향은 새로운 과학기술들의 진정한 잠재력이 실현되지 않은 채로 남아 있을 수 있다는 것을 의미한다.

구문+서술형

4 In life, they say that too much of anything is not good for you.

5 Many factors determine what we should do.

6 The students must know that you care about them.

7 Just think of what you can learn from each other.

구문+서술형

4 I think (that) we can make a difference.

5 Focus on what the person has done.

6 Unrealistic optimists believe (that) the universe will reward them for their positive thinking.

7 Children under the age of four think (that) everyone knows what they know.

UNIT 7 3 절의 목적어 역할 ②⁻¹

구조+해석   REVIEW

1 This theory / could explain / in part [why time

feels slower for children].

<u>O(의문사절)</u>

이 이론은 왜 시간이 아이들에게는 더 천천히 가는 것으로 느껴지는지를 부분적으로 설명할 수 있다.

2 In one study, / researchers / looked at [how

people respond to life challenges].

<u>O(의문사절)</u>

한 연구에서, 연구자들은 사람들이 인생의 과제에 어떻게 대응하는지를 살펴보았다.

3 Audience feedback / often indicates [whether

listeners understand the speaker's ideas].

<u>O(whether절)</u>

청중의 피드백은 청중들이 연사의 생각을 이해했는지 아닌지를 흔히 보여준다.

구조+해석   NEW SENTENCES

1 I / asked [if she had ever done that].

<u>O(if절)</u>

나는 그녀가 그렇게 한 적이 있었는지 물었다.

2 In this checkup, / they / told / participants / about

a fictional disease, / and asked [whether the

participants would like to be tested for it].

<u>O(whether절)</u>

이 검진에서, 그들은 참여자들에게 꾸며낸 질병에 대해 이야기했고, 참여자들이 그것에 대해 검진받기를 원하는지를 물었다.

3 The boss / asked [if he could build just one

more house as a personal favor].

<u>O(if절)</u>

그 사장은 개인적인 부탁으로 그가 집을 한 채만 더 지어줄 수 있는지 물어보았다.

구문+서술형

4 He asked what kind of insects they were.

5 Great apes can distinguish whether or not people have a false belief about reality.

구문+서술형

4 He knows where his feet are.

5 One field study focused on how five friends between the ages of 30-36 communicated.

6 I asked if she worked with the airline.

7 Tree rings can tell us how old the tree is, and what the weather was like.

6 This may explain why Americans are good at cocktail-party conversation.

7 That person will have a hard time knowing exactly which star you're[you are] looking at.

UNIT 7 / 3, 4 절의 목적어 역할 ②⁻², 절의 보어 역할

구조+해석   REVIEW

1 Probably / few of them had / thoughts / about [how this custom might relate to other fields].
전치사의 목적어(의문사절)
아마 그들 중 이 관습이 다른 분야와 어떻게 연관될 수 있는지에 대한 생각을 가진 사람들은 거의 없었을 것이다.

2 An important question / is [whether emoticons
C(whether절)
help Internet users to understand emotions in online communication].
중요한 문제는 이모티콘이 인터넷 사용자들이 온라인상의 의사소통에서 감정을 이해하는 데 도움을 주는지이다.

3 You / may not care about [whether you start
전치사의 목적어(whether절)
your new job in June or July].
여러분은 새로운 직장 생활을 6월에 시작하든지 7월에 시작하든지에 신경 쓰지 않을 수도 있다.

구조+해석   NEW SENTENCES

1 The only evidence / is [that "76% of 50 women
C(that절)
agreed]."
유일한 증거는 "50명의 여성 중 76 퍼센트가 동의했다."라는 것이다.

2 Very old trees / can offer / clues / about [what
the climate was like].
전치사의 목적어(의문사절)
매우 나이가 많은 나무는 기후가 어떠했는지에 대한 단서를 제공해 줄 수 있다.

3 The interesting question / is [whether it is
C(whether절)
deliberately not collected].
흥미로운 질문은 그것이 고의적으로 수집되지 않는 것인지이다.

구문+서술형

4 That is what made Newton and the others so famous.

5 Words like 'near' and 'far' can mean different things depending on where you are and what you are doing.

구문+서술형

4 Sophie is clueless about what Angela wants.

5 The theory is that the smiles and nods of a listener signal interest and agreement.

6 He passed on an idea of what kind of explanations could be considered satisfactory.

UNIT 7 REVIEW QUIZ

p. 86

1	2	3	4	5	6	7	8
b	a	a	b	a	a	a	b

1 동사 saw의 목적어로 쓰인 명사절이 완전한 구조이므로 접속사 that이 알맞다.
그는 파리가 줄무늬 위에 앉는 것을 피하는 것처럼 보인다는 것을 알게 되었다.

2 의문사 how가 이끄는 명사절에 형용사가 있으면 「how+형용사+S+V ~」 형태로 쓴다.
태양의 중심에 있는 불이 얼마나 뜨거운지 짐작할 수 있겠는가?

3 문장 뒤에 '~하는 것은'으로 해석되는 명사절 주어가 있으므로, 이를 대신하는 가주어 It이 알맞다.
과학자들이 이 과정을 회피하지 않는 것이 중요하다.

4 명사절을 이끄는 주어는 단수 취급하므로 단수 동사 is가 알맞다.
이것이 우리에게 말해주는 것은 말이 중요하다는 것이다.

5 전치사 about의 목적어로 쓰인 의문사절이므로, 전치사 뒤에 「how+S+V ~」형태로 써야 한다.
사람들은 식품이 어떻게 생산되는지에 대한 의문을 가진다.

6 동사 understand의 목적어로 쓰인 명사절이다. '규칙들을 왜 만드는지를'의 의미가 자연스러우므로, 의문사 why가 알맞다.
아이들은 그들의 부모가 특정한 규칙들을 왜 만드는지를 항상 이해하는 것은 아니다.

7 전치사 for의 목적어로 쓰인 명사절이므로, what이 알맞다. that절은 전치사의 목적어로 쓸 수 없다.
그 학생은 선생님이 써 준 것에 대해 어떠한 감사도 표현하지 않았다.

8 동사 is 뒤의 절은 보어로 쓰인 명사절이다. 접속사 that이 이끄는 명사절은 「that+S+V ~」형태로 쓴다.
문제는 그것이 창의적 과정에 해로운 영향을 미친다는 것이다.

UNIT **8**   절의 수식어 역할

핵심 개념 확인							p. 87
1 TRUE	**2** TRUE	**3** FALSE	**4** FALSE	**5** TRUE	**6** FALSE	**7** FALSE	**8** TRUE

UNIT **8** 1 절의 수식어(형용사) 역할 ①   pp. 88 – 89

구조+해석   REVIEW

1 There are / a few things about dams [that are important to know].
_S 관계대명사절(that+V ~)
알아두어야 할 중요한 댐에 관한 몇 가지 사실들이 있다.

2 These / are / fantastic behaviors [that teach brilliant self-confidence].
_C 관계대명사절(that+V ~)
이것들은 훌륭한 자신감을 가르쳐 주는 멋진 행동들이다.

3 Someone [who is only clinically dead] can often be brought back to life.
_S 관계대명사절(who+V ~)
임상적으로 사망한 사람은 종종 소생될 수 있다.

4 Doctors / can revive / many patients [whose hearts have stopped beating] by various techniques.
_O 관계대명사절(whose+명사+V ~)
의사들은 여러 기술들로 심장이 멎은 많은 환자들을 소생시킬 수 있다.

구조+해석   NEW SENTENCES

1 The good philosopher / is / one [who is able to create the best arguments].
_C 관계대명사절(who+V ~)
훌륭한 철학자는 최고의 논증을 만들어 낼 수 있는 사람이다.

2 They / viewed / emotion-neutral faces [that were randomly changed on a screen].
_O 관계대명사절(that+V ~)
그들은 화면에서 무작위로 바뀌는 감정 중립적인 얼굴을 보았다.

3 Someone [who is lonely] might benefit / from helping others.
_S 관계대명사절(who+V ~)
외로운 사람은 다른 사람들을 도와주는 일로부터 혜택을 받을지도 모른다.

4 She / was working / for "The Hunger Project" [whose goal was / to bring an end to hunger / around the world].
전치사의 목적어 관계대명사절(whose+명사+V ~)
그녀는 전 세계의 기아를 끝내는 것을 목표로 하는 'The Hunger Project'를 위해 일하는 중이었다.

5 A person who can never take a risk can't learn anything.

6 The leopard sharks are among the sharks which are not considered as a threat to humans.

7 He was an economic historian whose work has centered on the study of business history.

5 the adults who[that] look after you

6 We carry items that[which] are in stock

7 whose parents make them read books

UNIT 8 / 2 절의 수식어(형용사) 역할 ② pp. 90-91

구조+해석   REVIEW

1 I'm / the only father [my children have].
   C   관계대명사절(that 생략)
저는 우리 아이들의 유일한 아버지입니다.

2 The teacher / wrote back / a long reply [in which
            O   전치사+
he dealt with thirteen of the questions].
관계대명사절
교사는 그 질문들 중에서 13개를 다룬 긴 답장을 써서 보냈다.

3 The biggest mistake [that most investors make]
        S   관계대명사절(that+S+V)
is / getting into a panic over losses.
대부분의 투자자들이 저지르는 가장 큰 실수는 손실을 보고 공황 상태에 빠지는 것이다.

4 Some participants / stood / next to close friends
                            전치사의 목적어
[whom they had known a long time / during the
  관계대명사절(whom+S+V ~)
exercise].
일부 참가자들은 그들이 그 활동을 하는 동안 오랫동안 알아 왔던 친한 친구들 옆에 서 있었다.

구조+해석   NEW SENTENCES

1 An old man [whom society would consider a
        S   관계대명사절(whom+S+V ~)
beggar] was coming / toward him / from across
the parking lot.
사회가 걸인이라고 여길 만한 한 노인이 주차장 건너편에서 그를 향해 다가오고 있었다.

2 Take out / a piece of paper / and record / everything
                                         O
[you'd love to do someday].
  관계대명사절(that[which] 생략)
종이 한 장을 꺼내 당신이 언젠가 하고 싶은 모든 것을 기록하라.

3 In negotiation, / there often will be / issues [that
                                          S
you do not care about].
관계대명사절(that+S+V ~)
협상에서, 당신이 신경을 쓰지 않는 이슈들이 흔히 있을 것이다.

4 Subjects / played / a computerized driving game
                      O
[in which the player must avoid crashing into a
  전치사+관계대명사절
wall].
피실험자들은 게임 참가자가 벽에 충돌하는 것을 피해야 하는 컴퓨터 운전 게임을 했다.

구문+서술형

5 Ants in groups can do things that no single ant can do.

6 The number of nails the boy drove into the fence gradually decreased.

7 Just think of all the people upon whom your participation in your class depends.

구문+서술형

5 We can increase the satisfaction we feel in our lives

6 The accent that[which] we identify as British was developed

7 the few people with whom they are very close

구조+해석 REVIEW

1 There have been / numerous times [when food
S   관계부사절(when+
has been rather scarce].
S+V ~
식량이 꽤 부족했던 수많은 시기가 있었다.

2 The reason [it looks that way] is [that the sun is
S   관계부사절(why 생략)
on fire].

태양이 그렇게 보이는 이유는 그것이 불타고 있기 때문이다.

3 We / are looking for / a diversified team [where
O   관계부사절
members complement one another].
(where+S+V ~)
우리는 구성원들이 서로를 보완해 주는 다양화된 팀을 찾고 있다.

4 There is / an entire body of research / about
the way ["product placement" in stores influences
전치사의 목적어 관계부사절(how 생략)
your buying behavior].

매장에서의 '제품 배치'가 구매 행동에 영향을 미치는 방식에 대한 매우 많은 연구가 있다.

구문+서술형

5 A dog throws the front part of his body in the direction he wants to go.

6 This is one of the reasons why people still go to cinemas for good films.

7 The graph shows how people in five countries consume news videos.

구조+해석 NEW SENTENCES

1 It / is / the reason [why humans can become so
C   관계부사절(why+S+V ~)
noncooperative on the road].

그것은 인간이 도로에서 그렇게 비협조적이 될 수 있는 이유이다.

2 Imagine / the grocery store [where you shop
O   관계부사절(where+S+V ~)
the most].

당신이 가장 많이 쇼핑을 하는 식료품점을 상상해 보라.

3 The reason [kids like dinosaurs] is [that dinosaurs
S   관계부사절(why 생략)
were different from anything alive today].

아이들이 공룡을 좋아하는 이유는 공룡이 오늘날 살아 있는 그 어떤 것과도 다르기 때문이다.

4 〈By learning / a variety of anger management
strategies〉, you / develop / flexibility / in [how
you respond to angry feelings].
관계부사절(the way 생략)
다양한 분노 조절 전략을 배움으로써, 당신은 분노의 감정에 대응하는 방식에 있어 융통성을 발전시킨다.

구문+서술형

5 times when you feel generous

6 one of the main reasons why technology is often resisted

7 a central location where they all contact sources

구조+해석 REVIEW

1 The building / is surrounded / by air, [which
선행사(절)   관계대명사절
applies friction to the falling marble / and slows it
(which+V ~)
down].

건물은 공기로 둘러싸여 있는데, 그것이 떨어지는 구슬에 마찰을 가하며 속도를 떨어뜨린다.

구조+해석 NEW SENTENCES

1 The security guard, [who had worked for the
선행사(S)   관계대명사절(who+V ~)
company / for many years], looked / his boss /
straight / in the eyes.

그 회사에서 수년 동안 근무해 온 그 경비원은 상관의 눈을 똑바로 쳐다보았다.

2 He / joined / the United States Marine Corps, 선행사(O)
[where he captured scenes from the Korean 관계부사절(where+S+V ~)
War].

그는 미국 해병대에 입대했고, 그곳에서 그는 한국 전쟁 장면을 촬영했다.

3 Judith Rich Harris, [who is a developmental 선행사(S) 관계대명사절(who+V ~)
psychologist], argues [that three main forces shape our development].

발달 심리학자 Judith Rich Harris는 세 가지 주요한 힘이 우리의 발달을 형성한다고 주장한다.

구문+서술형

4 The guard took him to the rich man, who decided to punish him severely.

5 On a flight to Asia, I met Debbie, who was welcomed by the pilot.

6 He developed his passion for photography in his teens, when he became a staff photographer for his high school paper.

2 Dorothy Hodgkin / was born / in Cairo, [where 선행사(전치사의 목적어) 관계부사절
her father worked in the Egyptian Education (where+S+V ~)
Service].

Dorothy Hodgkin은 Cairo에서 태어났는데, 그녀의 아버지는 그곳에 있는 Egyptian Education Service에서 근무했다.

3 They / went on / to collaboratively discover 선행사(절)
radium, [which overturned old ideas in physics 관계대명사절(which+V ~)
and chemistry].

그들은 더 나아가 협업으로 라듐을 발견했고, 그것은 물리학과 화학에서의 기존 개념들을 뒤집었다.

구문+서술형

4 which spent 20 billion dollars less than the USA

5 where he worked in the dining room

6 who has won several awards in national competitions

UNIT 8 / 5 절의 수식어(부사) 역할 ①

구조+해석   REVIEW

1 [If you never take the risk of being rejected], you / 조건의 부사절(If+S+never+V ~)
can never have / a friend or partner.

거절당할 위험을 무릅쓰지 않는다면, 당신은 친구나 파트너를 절대 얻을 수 없다.

2 [After he was orphaned], Anton Romberg / took 시간의 부사절(After+S+V)
care of / him.

고아가 된 후에, Anton Romberg가 그를 돌보았다.

3 The saint / tells / the frog / to be quiet [in case it 조건의 부사절
disturbs his prayers].
(in case (that)+S+V ~)
그 성자는 개구리가 자신의 기도를 방해할 경우를 대비하여 개구리에게 조용히 하라고 말한다.

구조+해석   NEW SENTENCES

1 [When you put your dreams into words] you / 시간의 부사절(When+S+V ~)
begin / putting them into action.

당신이 당신의 꿈들을 글로 적을 때 당신은 그것들을 실행하기 시작하는 것이다.

2 Church / started / nursing / at Milwaukee County Hospital [after she graduated from the University 시간의 부사절(after+S+V ~)
of Minnesota].

Church는 Minnesota 대학을 졸업한 후 Milwaukee County 병원에서 간호사 일을 시작했다.

3 Take / your comics / with you [when you go to 시간의 부사절(when+S+V ~)
visit sick friends].

아픈 친구들을 병문안하러 갈 때 당신의 만화를 가지고 가라.

4 You / should give / someone / a second chance [before you label them].
시간의 부사절(before+S+V ~)

당신은 그들을 낙인찍기 전에 그 사람에게 다시 한번 기회를 줘야 한다.

4 [If you want to train your puppy to lie down], you /
조건의 부사절(If+S+V ~)
just have to wait [until he happens to do so].
시간의 부사절(until+S+V ~)

당신이 당신의 강아지가 앉도록 훈련시키고자 한다면, 당신은 일단 그가 그렇게 할 때까지 기다려야 한다.

구문+서술형

5 Families don't grow strong unless parents invest precious time in them.

6 Young children let out all sorts of emotions as they interact with music.

7 If you are afraid of a presentation, trying to avoid your anxiety will reduce your confidence.

구문+서술형

5 If you have the flu

6 when[as] we feel a particular emotion

7 If we have an unresolved problem with our colleagues, until we clear the air

---

UNIT 8 | 6 절의 수식어(부사) 역할 ②

pp. 98-99

구조+해석   REVIEW

1 [While the number of tourists to Istanbul
대조의 부사절(While+S+V ~)
increased steadily], Antalya / received / less

tourists / compared to the previous year.

Istanbul을 찾은 관광객 수는 꾸준히 증가한 반면에, Antalya는 전년도에 비해 적은 수의 관광객을 받았다.

2 [Although many small businesses have websites],
양보의 부사절(Although+S+V ~)
they / can't afford / aggressive online campaigns.

비록 많은 작은 사업체가 웹사이트를 가지고 있지만, 그들은 적극적인 온라인 캠페인을 할 여유가 없다.

3 [While fantasy involves imagining an idealized
대조의 부사절(While+S+V ~)
future], expectation / is based / on a person's

past experiences.

공상은 이상화된 미래를 상상하는 것을 포함하는 반면에, 기대는 한 사람의 과거 경험에 근거한다.

구조+해석   NEW SENTENCES

1 [Although very young children will help each
양보의 부사절(Although+S+V ~)
other in difficult situations], they / are unwilling /

to share their possessions.

아주 어린 아이들은 어려운 상황에서 서로를 도와주려고는 하지만, 그들은 자신의 소유물을 공유하는 것은 꺼린다.

2 Instructors / can activate / relevant prior knowledge

[so that students draw on it effectively].
목적의 부사절(so that+S+V ~)
학생들이 사전 지식을 효과적으로 이용할 수 있도록 교사들은 관련 사전 지식을 활성화시킬 수 있다.

3 Fifteen percent of leisure travelers / chose / a

swimming pool / as their top amenity [while ten

percent selected free parking].
대조의 부사절(while+S+V ~)
여가 여행자의 15 퍼센트가 수영장을 그들의 가장 중요한 편의 서비스로 선택한 반면에 10 퍼센트는 무료 주차를 선택했다.

구문+서술형

4 Some bacteria produce oxygen so that we can breathe on Earth.

5 Though she never had children of her own, she loved children.

6 Share your favorites with your friends so that everyone can get a good laugh.

구문+서술형

4 so[in order] that they can keep warm

5 while the other group formed the opposite opinion

6 (Even) Though[Although] the teacher was a man of great patience

구조+해석   REVIEW

1 [Since the toaster has a year's warranty], our
  원인의 부사절(Since+S+V ~)
  company / is / happy to replace your faulty toaster /

  with a new toaster.

  그 토스터는 1년의 품질 보증 기간이 있기 때문에, 우리 회사는
  귀하의 고장 난 토스터를 새 토스터로 기꺼이 교환해 드리겠습니다.

2 His temper / was / so difficult [that nobody
  결과의 부사절(so+형용사+that+S+V ~)
  wanted to be his friend].

  그의 성질은 아주 까다로워서 아무도 그의 친구가 되기를 원하지
  않았다.

3 People noise / has also increased, [because
  group work and instruction are essential parts of
  원인의 부사절(because+S+V ~)
  the learning process].

  집단 활동과 (교사의) 설명이 학습 과정의 필수적인 부분들이기
  때문에, 사람의 소음도 또한 증가했다.

구문+서술형

4 As I loved driving very much, we moved onto
  talking about cars.

5 She had fallen so often that she sprained her
  ankle.

6 Libraries must provide quietness, because many
  of our students want a quiet study environment.

구조+해석   NEW SENTENCES

1 He / was / so furious [that ⟨during the very first
  결과의 부사절(so+형용사+that+S+V ~)
  day⟩ he drove in 37 nails].

  그는 너무 화가 나서 바로 그 첫날 동안 37개의 못을 박았다.

2 Many people / enjoy / hunting wild species of

  mushrooms / in the spring season, [because they

  are highly prized].
  원인의 부사절(because+S+V ~)
  야생 버섯 종들이 매우 귀하게 여겨지기 때문에, 많은 사람들이
  봄에 야생 버섯 종을 찾아다니는 것을 즐긴다.

3 In the U.S. / we / have / so many metaphors for

  time [that we think of time as "a thing]."
  결과의 부사절(so+형용사 ~+that+S+V ~)
  미국에서는, 시간에 관한 매우 많은 은유가 있어서 우리는 시간
  을 '물건'으로 간주한다.

구문+서술형

4 the friction is so small that its effect is negligible

5 as[because, since] it is used for government
  purposes

6 so much free information, that we have to
  consider

1 b	2 a	3 a	4 b	5 b	6 a	7 a	8 b

1 시간의 부사절 내에서 목적어 역할을 하는 선행사 new information
  은 사람이 아니므로 목적격 관계대명사 that이 알맞다.
  기존의 생각들은 과학자들이 그들이 설명할 수 없는 새로운 정보
  를 찾을 때 대체된다.

2 관계부사 how와 the way는 함께 쓸 수 없다.
  사람들은 우리가 사는 방식을 변화시키는 도구들을 만든다.

3 주격 관계대명사절 내 동사는 선행사 The water의 수에 일치시
  켜야 하므로 단수 동사 is가 알맞다.
  우리의 음식에 내포된 물은 '가상의 물'이라고 불린다.

4 the air 이하는 완전한 구조의 절이고, 앞에 장소를 나타내는 선
  행사 roadways가 있으므로 관계부사 where가 알맞다.
  공기가 오염된 도로에서 걷기를 선택하는 사람은 거의 없을 것이다.

5 관계대명사 that은 계속적 용법의 관계대명사절을 이끌 수 없다.

이런 약은 '항생 물질'이라고 불리는데, 이는 '박테리아의 생명에 대
항하는 것'을 의미한다.

6 문맥상 '~한다면'이라는 뜻의 조건의 부사절을 이끄는 If가 알맞다.
  Unless는 If ~ not의 의미이다.
  당신의 고양이가 겁이 많다면, 고양이 품평회 쇼에 나가서 자신의
  모습을 보여주는 것을 원치 않을 것이다.

7 관계대명사 that은「전치사+관계대명사」형태로 쓸 수 없다.
  당신의 질문들 중에서 내가 답을 해 주는 것을 잊었던 문제가 하나
  있다.

8 문맥상 '비록 ~이지만'이라는 뜻의 양보의 부사절을 이끄는 Even
  though가 알맞다.
  비록 음식이 여전히 부족한 세계의 일부 지역들이 있지만, 오늘날
  세계 인구 대부분은 많은 음식을 가지고 있다.

UNIT 9 색다른 단어와 구

핵심 개념 확인 p. 103

| 1 FALSE | 2 FALSE | 3 TRUE | 4 FALSE | 5 TRUE | 6 TRUE | 7 TRUE | 8 TRUE |

UNIT 9 1 [단어] 그것이 아닌 it ① pp. 104-105

구조+해석 REVIEW

1 It / had been / a hot sunny day / and the air / was
S(비인칭 주어) 날씨+날(day)
/ heavy and still.

덥고 햇볕이 강한 날이었었고, 공기는 무겁고 고요했다.

2 It is / tolerance [that protects / the diversity ⟨which
It is 강조 어구(S) that 나머지 어구(V+O ~)
makes the world so exciting⟩].

세상을 매우 흥미롭게 만드는 다양성을 보장하는 것은 바로 관용이다.

3 It might seem [that praising your child's intelligence
It might seem that ~
or talent / would boost his self-esteem / and
motivate him].

당신의 아이의 지능과 재능을 칭찬하는 것이 그의 자존감을 북돋우고 그에게 동기를 부여하는 것처럼 보일지도 모른다.

4 It was [only when Newton / placed / a second
It was 강조 어구(M)
prism / in the path of the spectrum] [that he
that
found something new].
나머지 어구(S+V+O)
Newton이 새로운 것을 발견한 것은 바로 스펙트럼의 경로에 두 번째 프리즘을 놓았을 때였다.

구문+서술형

5 It was my first day of school at St. Roma High School.

6 It seems that you had better walk to the shop to improve your health.

7 Ultimately, it is your commitment to the process that will determine your progress.

8 It was too hot even for a sheet.

구조+해석 NEW SENTENCES

1 It / was raining / and the room / was leaking.
S(비인칭 주어) 날씨
비가 내리는 중이었고 방은 비가 새고 있었다.

2 It seemed [that those ⟨who had been paid well⟩
It seemed that ~
thought, ⟨"Well, / people / usually pay / me / to
do things / I dislike⟩]."

후하게 보수를 받았던 사람들은 "음, 사람들은 대체로 내가 싫어하는 일을 시키기 위해 돈을 주지."라고 생각한 것 같았다.

3 People / told / him [that it was / his thinking ⟨that
it was 강조 어구(S) that
was depressing / him⟩].
나머지 어구(V+O)
사람들은 그를 우울하게 하는 것은 바로 그의 생각이라고 그에게 말했다.

4 She / shouted / with joy, ["It's raining/ hard!"]
S(비인칭 주어) 날씨
그녀는 "비가 쏟아지고 있어!"라고 기쁨에 차서 소리쳤다.

구문+서술형

5 It is not in spite of our culture that we are

6 It seems that giving excessive rewards may have a negative effect

7 it gets too cold, a turtle digs a hole deep into the mud

8 It is one of those things that reminds you

구조+해석 REVIEW

1 Over time, / it / became / clear [that he / couldn't
S(가주어) S'(진주어: that절)
do a good job / at both].

시간이 흐르면서, 그가 둘 다 잘할 수 없다는 것이 명확해졌다.

2 It / feels / good / for someone ⟨to hear positive
S(가주어) 의미상 주어 S'(진주어: to부정사구)
comments⟩.

누구든 긍정적인 말을 듣는 것은 기분이 좋다.

3 The arrangement by category / makes / it / easy
O(가목적어)
/ for you ⟨to memorize the store's layout⟩.
의미상 주어 O'(진목적어: to부정사구)

범주에 의한 배열은 당신이 그 가게의 배치를 기억하는 것을 쉽게 만든다.

구문+서술형

4 Despite your efforts, it is beyond our facility's capacity to care for animals with special needs.

5 It is important for the speaker to memorize his or her script to reduce onstage anxiety.

6 As you know, it is our company's policy that all new employees must gain experience in all departments.

7 Written language is more complex, which makes it more work to read.

구조+해석 NEW SENTENCES

1 It / is / undesirable / for humans ⟨to attempt such
S(가주어) 의미상 주어 S'(진주어: to부정사구)
strict arrangements⟩.

인간이 그렇게 세밀한 계획을 시도하는 것은 바람직하지 않다.

2 Lower air pressure / may make / it / easier ⟨to
O(가목적어)
produce the burst of air⟩.
O'(진목적어: to부정사구)

더 낮은 기압은 공기의 방출을 더 쉽게 만들 수 있다.

3 The carpenter / said yes, / but over time / it / was
S(가주어)
easy ⟨to see [that his heart / was not / in his work]⟩.
S'(진주어: to부정사구)

목수는 그러겠다고 대답했지만, 시간이 지날수록 자신의 일에 그의 진심을 다하고 있지 않다는 것을 쉽게 알 수 있었다.

구문+서술형

4 Assumptions can simplify the complex world and make it easier to understand.

5 It is known that 85% of our brain tissue is water.

6 It has been reported that young people aged six to 24 influence about 50% of all spending in the US.

7 It takes 90 minutes for the battery to be fully charged.

구조+해석 REVIEW

1 Accessibility to mass transportation / is not as
A
popular as / free breakfast / for business travelers.
not+as+원급+as B

출장 여행자들에게 대중교통에의 접근성은 무료 조식만큼 인기 있지 않았다.

2 He / ran / as fast as he could / and launched
as+원급+as+S+could
himself / into the air.

그는 가능한 한 빨리 달렸고 자신을 공중으로 내던졌다.

구조+해석 NEW SENTENCES

1 We / believe [that we / are always / better off
⟨gathering / as much information as possible⟩
as+원급+as possible
and ⟨spending / as much time as possible⟩ in
as+원급+as possible
careful consideration].

우리는 가능한 한 많은 정보를 모아서 가능한 한 많은 시간을 주의 깊게 숙고하는 데 시간을 보내면 우리가 늘 더 나을 것이라고 생각한다.

2 The USA / spent / more than twice as much as /
A 배수 표현+as+원급+as
Russia / on international tourism.
B

미국은 국제 관광에 러시아보다 두 배 이상 더 많이 돈을 소비했다.

3 I / discovered [that the seller / was very interested / in closing the deal / as soon as possible].
<u>as+원급+as possible</u>
나는 판매자가 가능한 한 빨리 거래를 매듭짓는 것에 매우 관심이 있다는 것을 알게 되었다.

4 To produce two pounds of meat / requires / about
<u>A</u>
5 to 10 times as much water as / to produce two
<u>배수 표현+as+원급+as</u>   <u>B</u>
pounds of vegetables.
2파운드의 고기를 생산하는 것은 2파운드의 채소를 생산하는 것보다 약 5배에서 10배 많은 물이 필요하다.

3 An online comment / is not as powerful as / a
<u>A</u>   <u>not+as+원급+as</u>
direct interpersonal exchange.
<u>B</u>
온라인 평가는 사람 간의 직접적인 의견 교환만큼 강력하지 않다.

4 The Internet revolution / has not been / as
<u>A</u>
important as / the washing machine.
<u>as+원급+as</u>   <u>B</u>
인터넷 혁명은 세탁기만큼 중요하지는 않았다.

구문+서술형

5 It was as difficult as the first challenge, too

6 They eat as much as possible while they can.

7 In 2012, the percentage of the 6-8 age group was twice as large as that of the 15-17 age group.

8 For health science invention, the percentage of female respondents was twice as high as that of male respondents.

구문+서술형

5 drive it into that old fence as hard as you can

6 was recommended just as often as *Smiley Toothpaste*

7 you are just as hungry as the dog

8 Group boundaries melted away as quickly as

UNIT 9   4 [구] 비교구문 - 비교급   pp. 110-111

구조+해석   REVIEW

1 In 2011, / Internet usage time by mobiles / was /
                <u>A</u>
<u>shorter than</u> / that by desktops or laptops.
<u>비교급+than</u>   <u>B</u>
2011년에, 휴대용 기기를 이용한 인터넷 사용 시간은 데스크톱 컴퓨터나 랩톱 컴퓨터를 이용한 그것보다 더 짧았다.

2 The percentage of UK adults using magazines in
            <u>A</u>
2014 / was / <u>lower than</u> / that in 2013.
        <u>비교급+than</u>   <u>B</u>
2014년에 잡지를 이용한 영국 성인의 비율은 2013년의 그것보다 더 낮았다.

3 The influence of peers, / she argues, / is / <u>much</u>
     <u>A</u>   <u>비교급 강조</u>
<u>stronger than</u> / that of parents.
<u>비교급+than</u>   <u>B</u>
또래들의 영향은 부모의 그것보다 훨씬 더 강하다고 그녀는 주장한다.

4 <u>The higher</u> the expectations, / <u>the more difficult</u> /
<u>the+비교급</u>   <u>the+비교급</u>
it is to be satisfied.
기대감이 더 높아질수록 만족감을 느끼기는 더욱 어려워진다.

구조+해석   NEW SENTENCES

1 <u>Either of these types of responses</u> / are / <u>better</u>
         <u>A</u>   <u>비교급+than</u>
<u>than</u> / ending it with a negative.
     <u>B</u>
이런 형태의 대답들 중 어느 것이라도 부정적인 어조로 그것을 끝내는 것보다 더 낫다.

2 <u>The longer</u> / the close friends / had known / each
<u>the+비교급</u>
other, / <u>the less steep</u> / the hill appeared / to the
     <u>the+비교급</u>
participants.
그 친한 친구들이 서로 알았던 기간이 길수록 그 참가자들에게 언덕은 덜 가파르게 보였다.

3 <u>Occupied time</u> / feels / <u>shorter than</u> / <u>unoccupied</u>
    <u>A</u>   <u>비교급+than</u>   <u>B</u>
<u>time</u>.
바쁜 시간이 한가한 시간보다 더 짧게 느껴진다.

4 <u>Crows</u> / are / <u>more intelligent than</u> / <u>chickens</u>.
 <u>A</u>   <u>비교급+than</u>   <u>B</u>
까마귀는 닭보다 더 똑똑하다.

5 Text chat required less effort and attention, and was more enjoyable than voice chat.

6 Actually, per unit of matter, the brain uses by far more energy than our other organs.

7 The more new information we take in, the slower time feels.

8 Most plastics break down into smaller and smaller pieces when exposed to ultraviolet (UV) light.

5 gets more and more frustrated

6 was easier than driving nails into the fence

7 The bigger the team (is), the more possibilities exist

8 on news sites is more popular than via social networks

UNIT 9　5 [구] 비교구문 - 최상급 pp. 112-113

1 In the late 1800s, / the railroads / were / the biggest companies / in the U.S.
　　the+최상급+명사　　in+단수명사
1800년대 후반에, 철도 회사들은 미국에서 가장 큰 기업들이었다.

2 Nothing is / more important to us / than the satisfaction of our customers.
　Nothing　　　비교급　　　　than

아무것도 우리에게 우리 고객들의 만족보다 더 중요하지 않다.

3 Distance traveled / relates / more directly / to sales per entering customer / than any other measurable consumer variable.
　　　비교급　　　　　　than any other+단수명사

측정 가능한 다른 어떤 소비자 변수보다 이동 거리가 방문 고객당 판매량에 더 직접적으로 관련되어 있다.

4 One of the most essential decisions [any of us can make] is [how we invest our time].
　one of the+최상급+복수명사

어느 누구든 내릴 수 있는 가장 필수적인 선택들 중 하나는 시간을 어떻게 투자하느냐이다.

1 Marital success / is more closely linked to communication skills / than to any other factor.
　　　　　　　비교급　　　than　　any other+단수명사

결혼의 성공은 다른 어떤 요소보다도 의사소통 기술들에 더욱 긴밀히 연관되어 있다.

2 One of the greatest benefits of getting older/ is / the cooling of passion.
　one of the+최상급+복수명사

나이 드는 것의 가장 큰 장점 가운데 하나는 격정(激情)을 식히는 것이다.

3 With a population of about 10,000, / Nauru / is / the smallest country / in the South Pacific / and the third smallest country / by area / in the world.
　the+최상급+명사　　　in+단수명사　　the+최상급+명사　　in+단수명사

약 10,000명의 인구를 가진 Nauru는 남태평양에서 가장 작은 나라이고 면적으로는 세계에서 세 번째로 작은 나라이다.

4 Of the five spenders, / Russia / spent / the smallest amount of money / on international tourism.
　of+복수명사　　　　　the+최상급+명사

다섯 개의 소비 국가들 중에서, 러시아는 국제 관광에 가장 적은 금액의 돈을 소비했다.

5 Of the 5 countries, the United States won the most medals in total, about 120.

6 You've mastered one of the most difficult throws in all of judo.

7 Furniture selection is one of the most cognitively demanding choices any consumer makes.

8 No other country exported more rice than India in 2012.

5 One of the most interesting features of the leopard sharks is their three-pointed teeth.

6 A plastic bottle of water might suddenly become one of the most valuable things in the universe.

7 Food is one of the most important tools (that [which]) you can use as a manager.

8 You'll conduct research in the largest university library in the world.

1 b	2 a	3 a	4 a	5 b	6 a	7 a	8 a

1 문장 뒤의 to부정사구가 진주어이므로, 가주어 It이 알맞다.
도착 게이트에서 수하물을 찾는 곳까지 도달하는 데 약 1분이 걸렸다.

2 '~하면 할수록 더 …하다'라는 의미의 비교급 표현은 「the+비교급 ~, the+비교급 …」이다.
나는 죽을 때 완전히 소진되기를 원하는데, 그 이유는 내가 열심히 일하면 할수록 그만큼 더 사는 것이기 때문이다.

3 날씨를 나타내는 문장의 주어 자리에는 비인칭 주어 It이 알맞다.
며칠 동안 비가 내렸고 뒤뜰의 잔디는 매우 길게 자랐다.

4 문장 뒤의 to부정사구가 진목적어이므로, 가목적어 it이 알맞다.
그곳의 현지 농부들은 내다 팔 식량을 생산하는 데 어려움을 겪을 것이다.

5 '~만큼 …하게'라는 의미의 원급 비교 표현은 「as+원급+as」이다.
그들은 그들의 배가 담을 수 있는 만큼 먹었다.

6 '…에서 가장 ~한 (명사)'라는 의미의 최상급 표현은 「the+최상급 (+명사)+in/of+명사(구)」이다. four countries는 복수명사이므로 of가 알맞다.
두 해 모두, 파키스탄이 4개국 중에서 가장 적은 양의 쌀을 수출했다.

7 앞에 비교급 greater가 있으므로 than이 알맞다. even은 비교급 강조 표현이다.
그의 다음 도전 과제는 티셔츠만큼 크거나 훨씬 더 큰 것이었다.

8 '가장 ~한 … 중 하나'라는 의미의 최상급 표현은 「one of the+최상급+복수명사」이다.
눈은 가장 중요한 협동 수단들 중 하나이다.

UNIT 10   색다른 문장

핵심 개념 확인   p. 115

1 TRUE	2 FALSE	3 TRUE	4 TRUE	5 TRUE	6 FALSE

UNIT 10 / 1, 2 [절] 가정법 - 과거, 과거완료   pp. 116-117

구조+해석   REVIEW

1 Carnegie / told / her [that if he wrote them a
if+S+V(과거)
letter, / he would get an immediate response].
S+조동사의 과거형+동사원형
Carnegie는 만약 자신이 그들에게 편지를 쓰면, 그는 즉각 답장을 받을 것이라고 그녀에게 말했다.

2 If the decision 〈to get out of the building〉 hadn't
If+S+had p.p.
been made, / the entire team would have been
S+조동사의 과거형+have p.p.
killed.

만약 건물을 빠져나오라는 결정이 내려지지 않았다면, 그 팀 전체가 사망했을지도 모른다.

3 If Ernest Hamwi had taken that attitude [when he
If+S+had p.p.
was selling zalabia, / a very thin Persian waffle, /
at the 1904 World's Fair], / he might have ended
S+조동사의 과거형+have p.p.
his days / as a street vendor.

Ernest Hamwi가 1904년 세계 박람회에서 그가 페르시아의 아주 얇은 와플인 zalabia를 팔고 있었을 때 그런 태도를 취했더라면, 그는 노점 상인으로 생을 마감했을지도 모른다.

구조+해석   NEW SENTENCES

1 If you tried to copy the original / rather than
If+S+V(과거)
your imaginary drawing / you might find [your
S+조동사의 과거형+동사원형
drawing now / was a little better].

만약 마음속에 존재하는 그림보다 원본을 베끼려고 애쓴다면 여러분의 그림은 이제 조금 더 나아졌다는 것을 알게 될 것이다.

2 If you were telling someone 〈how to get to your
if+S+V(과거)
local shop〉, / you might call it 'near' / if it was / a
S+조동사의 과거형+동사원형   *if+S+V(과거)*
five-minute walk away.

당신이 누군가에게 동네 가게에 가는 방법을 말해주고 있다면, 만약 그 거리가 걸어서 5분 거리라면 당신은 그것을 '가까이'라고 말할 수도 있을 것이다.

3 I'd have done it earlier / if it hadn't taken so long /
S+조동사의 과거형+have p.p.   *if+S(가주어)+had p.p.*
to order new ones online.
S'(진주어: to부정사구)
만약 온라인으로 새것들을 주문하는 것이 이렇게 오래 걸리지 않았다면, 나는 그것을 더 일찍 했을 것이다.

4 If you were at a zoo, you might say you are 'near' an animal.

5 Our children would be horrified if they were told they had to go back to the culture of their grandparents.

6 If the check had been enclosed, would they have responded so quickly?

5 If you purchased a moving masterpiece, you would probably cover it up

6 Our parents would be horrified if they were told (that) they had to participate in the culture

7 if I had had the ability myself, I'd [I would] have been quieter

---

UNIT 10 / 3 [절] 가정법 - I wish, as if   pp. 118-119

구조+해석   REVIEW

1 I only wish [there were something ⟨I could say
  I wish   V(과거)+S(도치)
  or do⟩ ⟨that would help ease the pain of your
  loss⟩].

  나는 당신의 상실의 아픔을 달래줄 내가 말하거나 해 줄 수 있는
  무엇인가가 있기만을 바랄 뿐이다.

2 "I wish [my life were the way it is / in movies]," / I
         I wish   S+V(과거)
  / said / with a sigh.

  "나는 내 삶이 영화 속에서 그런 것과 같다면 좋겠어."라고 나는
  한숨을 쉬며 말했다.

3 [As soon as he puts skis on his feet], it / is [as
                                        S   V(현재)
  though he had to learn / to walk / all over again].
  as though+S+V(과거)
  그가 스키를 발에 신자마자, 그것은 마치 그가 처음부터 다시 걷
  는 것을 배워야만 하는 것과 같다.

구조+해석   NEW SENTENCES

1 I'm very busy these days. // I wish [I had more
                              I wish   S+V(과거)
  time].

  나는 요즘에 무척 바쁘다. 나는 시간이 더 있다면 좋겠다.

2 Musical ideas / sprang / into his head, / fully
  S   V(과거)
  formed, [as if he were taking dictation].
          as if+S+V(과거)
  마치 그가 받아쓰기를 하고 있는 것처럼, 완전한 형태로 악상이
  그의 머릿속으로 흘러 들어왔다.

3 People / can actually end up / appearing /
  more foolish [when they / act ⟨as if they had /
                     S   V(현재) as if+S+V(과거)
  knowledge / that they do not⟩].

  그들이 가지고 있지 않은 지식을 가지고 있는 것처럼 행동할 때,
  실제로 사람들은 결국 더 어리석어 보일 수 있다.

구문+서술형

4 She whispered, "I wish the drought would end."

5 We sometimes wish that we were never informed about something.

6 Too many companies advertise their new products as if their competitors did not exist.

구문+서술형

4 She felt as though the thunderstorm was[were] a present.

5 I wish you'd[you had] been quieter.

6 When I got close to it and looked up, I felt as if I were in Giant Land in *Gulliver's Travels*.

1 b	2 a	3 a	4 b	5 b	6 a

1 가정법 과거 문장의 if절은 「if+S+V(과거) ~」형태가 알맞다.
만약 지구가 평평하다면, 가장 짧은 경로는 똑바로 동쪽을 향하는 것일 것이다.

2 가정법 과거완료 문장의 주절은 「S+조동사의 과거형+have p.p. ~」형태가 알맞다.
만약 내 휴대 전화의 배터리가 다 닳지 않았다면, 나는 더 일찍 당신에게 전화했을 것이다.

3 as if 가정법 과거는 「as if+S+V(과거) ~」형태가 알맞다.
그것은 마치 그 불빛들이 자연의 음악에 맞춰 천천히 춤을 추고 있는 것처럼 보였다.

4 가정법 과거 문장의 주절은 「S+조동사의 과거형+동사원형 ~」형태가 알맞다.
내 아들은 만약 그 소년이 원한다면 그 스파이크화를 가져도 좋다고 말했다.

5 I wish 가정법 과거완료는 「I wish+S+had p.p. ~」형태가 알맞다.
당신이 내 친구들에게 더 친절했다면 좋을 텐데.

6 가정법 과거완료 문장의 if절은 「if+S+had p.p. ~」형태가 알맞다.
만약 바람이 그렇게 세지 않았다면, 우리는 밖에서 차를 마실 수 있었을 텐데.

중학부터 수능까지 필수 어휘를
단계별로 마스터하는

바로 VOCA

예비중~중3   예비고~고1

중학 기본   중학 실력   중학 완성   고교 기본   수능 필수

중학 기본 800 ▶	반복 어휘 300 ▶	반복 어휘 300 ▶	반복 어휘 500 ▶	반복 어휘 1,000
	신출 어휘 900	신출 어휘 600	신출 어휘 1,000	신출 어휘 1,000
	누적 어휘 1,700	누적 어휘 2,300	누적 어휘 3,300	누적 어휘 4,300

바로 VOCA

- ▶ 최빈출 핵심 어휘는 단계별로 반복되도록 체계적으로 구성
- ▶ 교과서, 모의고사, 수능 기출문제에서 뽑은 실전 예문으로 구성
- ▶ QR코드로 연결되는 바로 듣기 앱 (두 가지 버전 표제어 MP3 파일 제공)
- ▶ 암기 테스트용 어휘 출제 프로그램 제공 (book.chunjae.co.kr)

정답은
이안에
있어！

Starter

배움으로 행복한 내일을 꿈꾸는
천재교육 커뮤니티 안내 · · ·

 교재 안내부터 구매까지 한 번에!
천재교육 홈페이지

천재교육 홈페이지에서는 자사가 발행하는 참고서,
교과서에 대한 소개는 물론 도서 구매도 할 수 있습니다.
회원에게 지급되는 별을 모아 다양한 상품 응모에도
도전해 보세요.

 구독, 좋아요는 필수! 핵유용 정보 가득한
천재교육 유튜브 <천재TV>

신간에 대한 자세한 정보가 궁금하세요?
참고서를 어떻게 활용해야 할지 고민인가요?
공부 외 다양한 고민을 해결해 줄 채널이 필요한가요?
학생들에게 꼭 필요한 콘텐츠로 가득한 천재TV로 놀러 오세요!

 다양한 교육 꿀팁에 깜짝 이벤트는 덤!
천재교육 인스타그램

천재교육의 새롭고 중요한 소식을 가장 먼저 접하고 싶다면?
천재교육 인스타그램 팔로우가 필수!
누구보다 빠르고 재미있게 천재교육의 소식을 전달합니다.
깜짝 이벤트도 수시로 진행되니 놓치지 마세요!